고2 수학 I

출제범위

중간고사 10회 지수와 로그 - 삼각함수의 뜻

부록 삼각함수의 그래프, 삼각함수의 활용

선생님! 제발 복사는~~T_T
교재의 문항에 대한 저작권을 지켜주시기를 간곡히 부탁드립니다.
바른 교육을 받고 성장한 학생들이 명예로운 사회를 만듭니다~♥

2학년 1학기 중간고사

부록

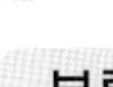

정답 및 해설

동영상 강의는 아샘 협력학원 선생님들의 강의를 제공받아 유튜브(아샘 채널)에 업로드하였습니다.

이 책의 **구성**

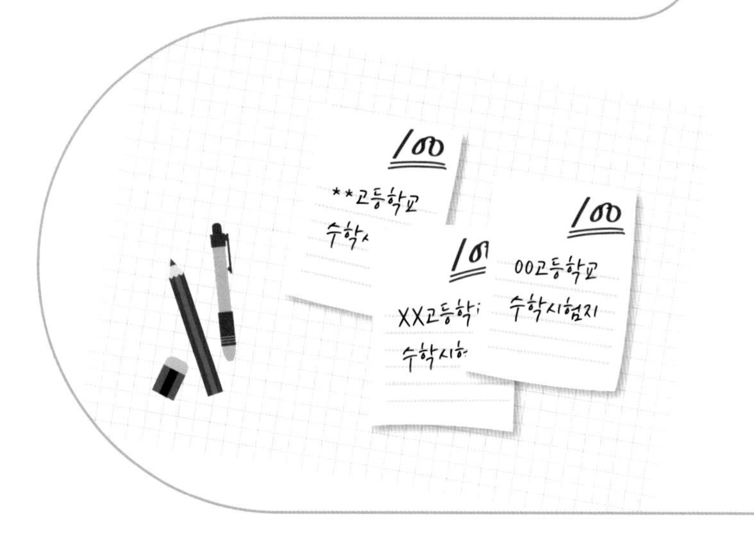

이것만 풀면 1등급~♬

전국 고등학교의 수학 시험지를 분석,
꼭 출제되는 중요 문항만을 선별하여
내신 시험을 책임질 수 있도록 만든

중간고사 예상문제지!!!

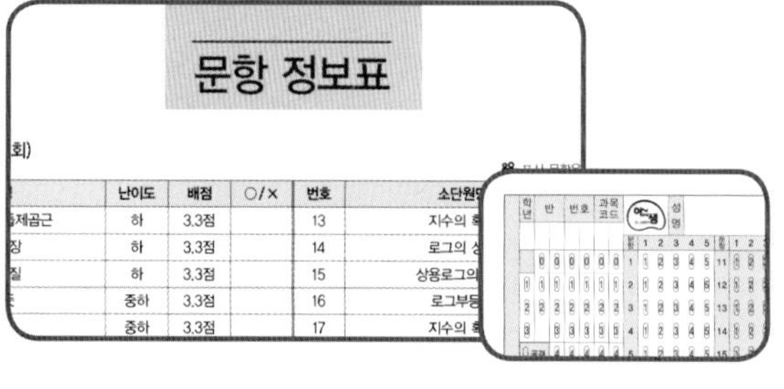

문항정보표 수록된 모든 문항에 대하여 내용영역, 난이도 등의 정보를 제공하였고, 어려운 문항에는 동영상 강의를 제공하여 이를 본문 또는 해설의 QR코드로 접속할 수 있게 하였습니다. 또한 OMR 카드를 제공하여 객관식 문항 표기를 연습할 수 있도록 하였습니다.

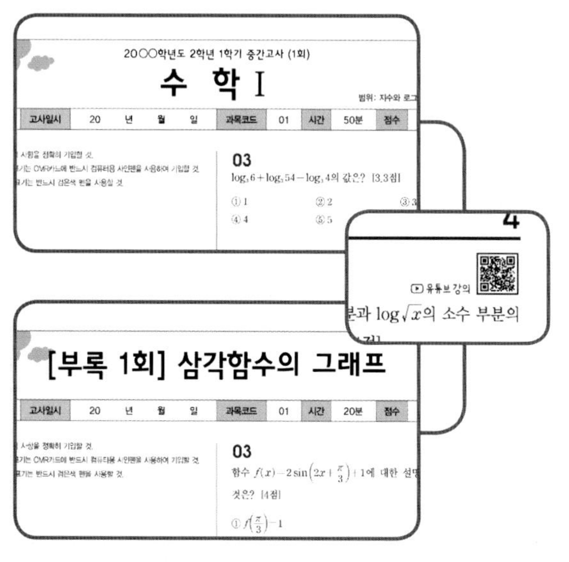

중간고사 1회~10회 1회당 23문항(객관식 18문항, 서술형 주관식 5문항)으로 구성하였습니다. 1회~8회의 문항은 학교 시험의 평균 난이도로 맞추었으며 9회~10회는 좀 더 난이도를 높여 구성하였습니다. 동영상 강의가 있는 문항에는 QR코드를 제공하여 유튜브-아름다운샘 채널에서 동영상 강의를 볼 수 있도록 하였습니다.

[부록] 삼각함수의 그래프/삼각함수의 활용 1학기 중간고사 범위에 삼각함수의 그래프/삼각함수의 활용이 포함된 학교 학생들을 위하여 삼각함수의 그래프 3회, 삼각함수의 활용 1회를 추가로 구성하였으며 각 회별 8문항씩 수록하였습니다.

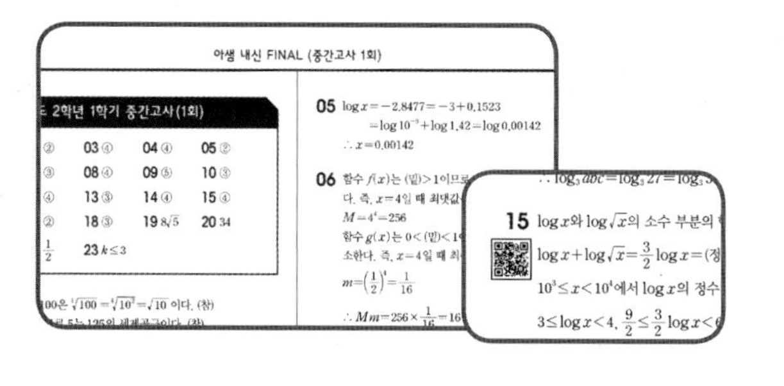

정답 및 해설 각 문항별 정답과 풀이를 제공하고 서술형 주관식 문제에는 채점기준표를 제공하였습니다. 또한 유용한 개념 또는 공식은 핵심포인트에 수록하였고 다른 풀이가 있는 문항에는 다른 풀이를 실었습니다. 본문과 마찬가지로 동영상 강의가 있는 문항에는 QR코드를 제공하였습니다.

학년	반	번호	과목코드	아쌤 A-ssam	성명		과목		년 월 일 제 회 1학기 중간고사	감독	

학년	반		번호		과목코드		문항	1	2	3	4	5	문항	1	2	3	4	5	문항	1	2	3	4	5	문항	1	2	3	4	5	문항	1	2	3	4	5
	0	0	0	0	0	0	1	1	2	3	4	5	11	1	2	3	4	5	21	1	2	3	4	5	31	1	2	3	4	5	41	1	2	3	4	5
1	1	1	1	1	1	1	2	1	2	3	4	5	12	1	2	3	4	5	22	1	2	3	4	5	32	1	2	3	4	5	42	1	2	3	4	5
2	2	2	2	2	2	2	3	1	2	3	4	5	13	1	2	3	4	5	23	1	2	3	4	5	33	1	2	3	4	5	43	1	2	3	4	5
3		3	3	3	3	3	4	1	2	3	4	5	14	1	2	3	4	5	24	1	2	3	4	5	34	1	2	3	4	5	44	1	2	3	4	5
공결		4	4	4	4	4	5	1	2	3	4	5	15	1	2	3	4	5	25	1	2	3	4	5	35	1	2	3	4	5	45	1	2	3	4	5
병결		5	5	5	5	5	6	1	2	3	4	5	16	1	2	3	4	5	26	1	2	3	4	5	36	1	2	3	4	5	46	1	2	3	4	5
상고		6	6	6	6	6	7	1	2	3	4	5	17	1	2	3	4	5	27	1	2	3	4	5	37	1	2	3	4	5	47	1	2	3	4	5
무단		7	7	7	7	7	8	1	2	3	4	5	18	1	2	3	4	5	28	1	2	3	4	5	38	1	2	3	4	5	48	1	2	3	4	5
부정		8		8	8	8	9	1	2	3	4	5	19	1	2	3	4	5	29	1	2	3	4	5	39	1	2	3	4	5	49	1	2	3	4	5
기타		9		9	9	9	10	1	2	3	4	5	20	1	2	3	4	5	30	1	2	3	4	5	40	1	2	3	4	5	50	1	2	3	4	5

정 정 확 인

문항번호 ( )
( )번을
( )번으로 정정
감독확인 (인)

문항번호 ( )
( )번을
( )번으로 정정
감독확인 (인)

문항번호 ( )
( )번을
( )번으로 정정
감독확인 (인)

학년	반	번호	과목코드	아쌤 A-ssam	성명		과목		년 월 일 제 회 1학기 중간고사	감독	

학년	반		번호		과목코드		문항	1	2	3	4	5	문항	1	2	3	4	5	문항	1	2	3	4	5	문항	1	2	3	4	5	문항	1	2	3	4	5
	0	0	0	0	0	0	1	1	2	3	4	5	11	1	2	3	4	5	21	1	2	3	4	5	31	1	2	3	4	5	41	1	2	3	4	5
1	1	1	1	1	1	1	2	1	2	3	4	5	12	1	2	3	4	5	22	1	2	3	4	5	32	1	2	3	4	5	42	1	2	3	4	5
2	2	2	2	2	2	2	3	1	2	3	4	5	13	1	2	3	4	5	23	1	2	3	4	5	33	1	2	3	4	5	43	1	2	3	4	5
3		3	3	3	3	3	4	1	2	3	4	5	14	1	2	3	4	5	24	1	2	3	4	5	34	1	2	3	4	5	44	1	2	3	4	5
공결		4	4	4	4	4	5	1	2	3	4	5	15	1	2	3	4	5	25	1	2	3	4	5	35	1	2	3	4	5	45	1	2	3	4	5
병결		5	5	5	5	5	6	1	2	3	4	5	16	1	2	3	4	5	26	1	2	3	4	5	36	1	2	3	4	5	46	1	2	3	4	5
상고		6	6	6	6	6	7	1	2	3	4	5	17	1	2	3	4	5	27	1	2	3	4	5	37	1	2	3	4	5	47	1	2	3	4	5
무단		7	7	7	7	7	8	1	2	3	4	5	18	1	2	3	4	5	28	1	2	3	4	5	38	1	2	3	4	5	48	1	2	3	4	5
부정		8		8	8	8	9	1	2	3	4	5	19	1	2	3	4	5	29	1	2	3	4	5	39	1	2	3	4	5	49	1	2	3	4	5
기타		9		9	9	9	10	1	2	3	4	5	20	1	2	3	4	5	30	1	2	3	4	5	40	1	2	3	4	5	50	1	2	3	4	5

정 정 확 인

문항번호 ( )
( )번을
( )번으로 정정
감독확인 (인)

문항번호 ( )
( )번을
( )번으로 정정
감독확인 (인)

문항번호 ( )
( )번을
( )번으로 정정
감독확인 (인)

학년	반	번호	과목코드	아쌤 A-ssam	성명		과목		년 월 일 제 회 1학기 중간고사	감독	

학년	반		번호		과목코드		문항	1	2	3	4	5	문항	1	2	3	4	5	문항	1	2	3	4	5	문항	1	2	3	4	5	문항	1	2	3	4	5
	0	0	0	0	0	0	1	1	2	3	4	5	11	1	2	3	4	5	21	1	2	3	4	5	31	1	2	3	4	5	41	1	2	3	4	5
1	1	1	1	1	1	1	2	1	2	3	4	5	12	1	2	3	4	5	22	1	2	3	4	5	32	1	2	3	4	5	42	1	2	3	4	5
2	2	2	2	2	2	2	3	1	2	3	4	5	13	1	2	3	4	5	23	1	2	3	4	5	33	1	2	3	4	5	43	1	2	3	4	5
3		3	3	3	3	3	4	1	2	3	4	5	14	1	2	3	4	5	24	1	2	3	4	5	34	1	2	3	4	5	44	1	2	3	4	5
공결		4	4	4	4	4	5	1	2	3	4	5	15	1	2	3	4	5	25	1	2	3	4	5	35	1	2	3	4	5	45	1	2	3	4	5
병결		5	5	5	5	5	6	1	2	3	4	5	16	1	2	3	4	5	26	1	2	3	4	5	36	1	2	3	4	5	46	1	2	3	4	5
상고		6	6	6	6	6	7	1	2	3	4	5	17	1	2	3	4	5	27	1	2	3	4	5	37	1	2	3	4	5	47	1	2	3	4	5
무단		7	7	7	7	7	8	1	2	3	4	5	18	1	2	3	4	5	28	1	2	3	4	5	38	1	2	3	4	5	48	1	2	3	4	5
부정		8		8	8	8	9	1	2	3	4	5	19	1	2	3	4	5	29	1	2	3	4	5	39	1	2	3	4	5	49	1	2	3	4	5
기타		9		9	9	9	10	1	2	3	4	5	20	1	2	3	4	5	30	1	2	3	4	5	40	1	2	3	4	5	50	1	2	3	4	5

정 정 확 인

문항번호 ( )
( )번을
( )번으로 정정
감독확인 (인)

문항번호 ( )
( )번을
( )번으로 정정
감독확인 (인)

문항번호 ( )
( )번을
( )번으로 정정
감독확인 (인)

학년	반		번호		과목코드	
	0	0	0	0	0	0
1	1	1	1	1	1	1
2	2	2	2	2	2	2
3		3	3	3	3	3
공결		4	4	4	4	4
병결		5	5	5	5	5
상고		6	6	6	6	6
무단		7	7	7	7	7
부정		8		8	8	8
기타		9		9	9	9

아~샘 A-ssam

성명 | 과목 | 년 월 일 | 제 회 1학기 중간고사 | 감독

문항	1	2	3	4	5	문항	1	2	3	4	5	문항	1	2	3	4	5	문항	1	2	3	4	5	문항	1	2	3	4	5
1	1	2	3	4	5	11	1	2	3	4	5	21	1	2	3	4	5	31	1	2	3	4	5	41	1	2	3	4	5
2	1	2	3	4	5	12	1	2	3	4	5	22	1	2	3	4	5	32	1	2	3	4	5	42	1	2	3	4	5
3	1	2	3	4	5	13	1	2	3	4	5	23	1	2	3	4	5	33	1	2	3	4	5	43	1	2	3	4	5
4	1	2	3	4	5	14	1	2	3	4	5	24	1	2	3	4	5	34	1	2	3	4	5	44	1	2	3	4	5
5	1	2	3	4	5	15	1	2	3	4	5	25	1	2	3	4	5	35	1	2	3	4	5	45	1	2	3	4	5
6	1	2	3	4	5	16	1	2	3	4	5	26	1	2	3	4	5	36	1	2	3	4	5	46	1	2	3	4	5
7	1	2	3	4	5	17	1	2	3	4	5	27	1	2	3	4	5	37	1	2	3	4	5	47	1	2	3	4	5
8	1	2	3	4	5	18	1	2	3	4	5	28	1	2	3	4	5	38	1	2	3	4	5	48	1	2	3	4	5
9	1	2	3	4	5	19	1	2	3	4	5	29	1	2	3	4	5	39	1	2	3	4	5	49	1	2	3	4	5
10	1	2	3	4	5	20	1	2	3	4	5	30	1	2	3	4	5	40	1	2	3	4	5	50	1	2	3	4	5

정 정 확 인

문항번호 ( )
( )번을
( )번으로 정정
감독확인 (인)

문항번호 ( )
( )번을
( )번으로 정정
감독확인 (인)

문항번호 ( )
( )번을
( )번으로 정정
감독확인 (인)

학년	반		번호		과목코드	
	0	0	0	0	0	0
1	1	1	1	1	1	1
2	2	2	2	2	2	2
3		3	3	3	3	3
공결		4	4	4	4	4
병결		5	5	5	5	5
상고		6	6	6	6	6
무단		7	7	7	7	7
부정		8		8	8	8
기타		9		9	9	9

아~샘 A-ssam

성명 | 과목 | 년 월 일 | 제 회 1학기 중간고사 | 감독

문항	1	2	3	4	5	문항	1	2	3	4	5	문항	1	2	3	4	5	문항	1	2	3	4	5	문항	1	2	3	4	5
1	1	2	3	4	5	11	1	2	3	4	5	21	1	2	3	4	5	31	1	2	3	4	5	41	1	2	3	4	5
2	1	2	3	4	5	12	1	2	3	4	5	22	1	2	3	4	5	32	1	2	3	4	5	42	1	2	3	4	5
3	1	2	3	4	5	13	1	2	3	4	5	23	1	2	3	4	5	33	1	2	3	4	5	43	1	2	3	4	5
4	1	2	3	4	5	14	1	2	3	4	5	24	1	2	3	4	5	34	1	2	3	4	5	44	1	2	3	4	5
5	1	2	3	4	5	15	1	2	3	4	5	25	1	2	3	4	5	35	1	2	3	4	5	45	1	2	3	4	5
6	1	2	3	4	5	16	1	2	3	4	5	26	1	2	3	4	5	36	1	2	3	4	5	46	1	2	3	4	5
7	1	2	3	4	5	17	1	2	3	4	5	27	1	2	3	4	5	37	1	2	3	4	5	47	1	2	3	4	5
8	1	2	3	4	5	18	1	2	3	4	5	28	1	2	3	4	5	38	1	2	3	4	5	48	1	2	3	4	5
9	1	2	3	4	5	19	1	2	3	4	5	29	1	2	3	4	5	39	1	2	3	4	5	49	1	2	3	4	5
10	1	2	3	4	5	20	1	2	3	4	5	30	1	2	3	4	5	40	1	2	3	4	5	50	1	2	3	4	5

정 정 확 인

문항번호 ( )
( )번을
( )번으로 정정
감독확인 (인)

문항번호 ( )
( )번을
( )번으로 정정
감독확인 (인)

문항번호 ( )
( )번을
( )번으로 정정
감독확인 (인)

학년	반		번호		과목코드	
	0	0	0	0	0	0
1	1	1	1	1	1	1
2	2	2	2	2	2	2
3		3	3	3	3	3
공결		4	4	4	4	4
병결		5	5	5	5	5
상고		6	6	6	6	6
무단		7	7	7	7	7
부정		8		8	8	8
기타		9		9	9	9

아~샘 A-ssam

성명 | 과목 | 년 월 일 | 제 회 1학기 중간고사 | 감독

문항	1	2	3	4	5	문항	1	2	3	4	5	문항	1	2	3	4	5	문항	1	2	3	4	5	문항	1	2	3	4	5
1	1	2	3	4	5	11	1	2	3	4	5	21	1	2	3	4	5	31	1	2	3	4	5	41	1	2	3	4	5
2	1	2	3	4	5	12	1	2	3	4	5	22	1	2	3	4	5	32	1	2	3	4	5	42	1	2	3	4	5
3	1	2	3	4	5	13	1	2	3	4	5	23	1	2	3	4	5	33	1	2	3	4	5	43	1	2	3	4	5
4	1	2	3	4	5	14	1	2	3	4	5	24	1	2	3	4	5	34	1	2	3	4	5	44	1	2	3	4	5
5	1	2	3	4	5	15	1	2	3	4	5	25	1	2	3	4	5	35	1	2	3	4	5	45	1	2	3	4	5
6	1	2	3	4	5	16	1	2	3	4	5	26	1	2	3	4	5	36	1	2	3	4	5	46	1	2	3	4	5
7	1	2	3	4	5	17	1	2	3	4	5	27	1	2	3	4	5	37	1	2	3	4	5	47	1	2	3	4	5
8	1	2	3	4	5	18	1	2	3	4	5	28	1	2	3	4	5	38	1	2	3	4	5	48	1	2	3	4	5
9	1	2	3	4	5	19	1	2	3	4	5	29	1	2	3	4	5	39	1	2	3	4	5	49	1	2	3	4	5
10	1	2	3	4	5	20	1	2	3	4	5	30	1	2	3	4	5	40	1	2	3	4	5	50	1	2	3	4	5

정 정 확 인

문항번호 ( )
( )번을
( )번으로 정정
감독확인 (인)

문항번호 ( )
( )번을
( )번으로 정정
감독확인 (인)

문항번호 ( )
( )번을
( )번으로 정정
감독확인 (인)

문항 정보표

■ 2학년 1학기 중간고사(1회)

표시 문항은 동영상 강의가 제공되는 문항입니다.

번호	소단원명	난이도	배점	○/×	번호	소단원명	난이도	배점	○/×
1	거듭제곱과 거듭제곱근	하	3.3점		13	지수의 확장	중상	4점	
2	지수의 확장	하	3.3점		14	로그의 성질	중상	4점	
3	로그의 성질	하	3.3점		15	상용로그의 성질	중상	4점	
4	로그의 뜻	중하	3.3점		16	로그부등식	상	4점	
5	상용로그	중하	3.3점		17	지수의 확장	상	4점	
6	지수함수의 뜻과 그래프	중하	3.3점		18	지수함수의 뜻과 그래프	최상	4점	
7	로그함수의 뜻과 그래프	중하	3.7점		19	지수의 확장	중상	6점	
8	지수함수의 뜻과 그래프	중하	3.7점		20	지수방정식	중상	6점	
9	로그함수의 뜻과 그래프	중하	3.7점		21	로그의 성질	상	6점	
10	로그방정식	중하	3.7점		22	삼각함수 사이의 관계	상	8점	
11	일반각과 호도법	중하	3.7점		23	지수부등식	최상	8점	
12	삼각함수	중상	3.7점						

■ 2학년 1학기 중간고사(2회)

번호	소단원명	난이도	배점	○/×	번호	소단원명	난이도	배점	○/×
1	거듭제곱과 거듭제곱근	하	3.3점		13	로그부등식	중상	4점	
2	로그의 성질	하	3.3점		14	일반각과 호도법	중상	4점	
3	지수의 확장	하	3.3점		15	삼각함수 사이의 관계	중상	4점	
4	지수의 확장	중하	3.3점		16	로그의 성질	중상	4점	
5	지수함수의 뜻과 그래프	중하	3.3점		17	상용로그의 성질	중상	4점	
6	지수방정식	중하	3.3점		18	지수함수의 뜻과 그래프	상	4점	
7	일반각과 호도법	중하	3.7점		19	지수의 확장	중하	6점	
8	로그의 성질	중하	3.7점		20	삼각함수	중상	6점	
9	상용로그의 성질	중상	3.7점		21	지수의 확장	중상	6점	
10	로그함수의 뜻과 그래프	중상	3.7점		22	로그의 성질	상	8점	
11	지수부등식	중상	3.7점		23	로그함수의 뜻과 그래프	상	8점	
12	로그함수의 뜻과 그래프	중상	3.7점						

■ 2학년 1학기 중간고사(3회)

번호	소단원명	난이도	배점	○/×	번호	소단원명	난이도	배점	○/×
1	상용로그	하	3.3점		13	로그의 성질	중상	4점	
2	로그함수의 뜻과 그래프	하	3.3점		14	상용로그의 성질	중상	4점	
3	로그의 성질	하	3.3점		15	지수함수의 뜻과 그래프	중상	4점	
4	지수의 확장	중하	3.3점		16	로그방정식	중상	4점	
5	지수의 확장	중하	3.3점		17	상용로그	중상	4점	
6	일반각과 호도법	중하	3.3점		18	지수함수의 뜻과 그래프	상	4점	
7	삼각함수	중하	3.7점		19	지수의 확장	중하	6점	
8	상용로그의 성질	중하	3.7점		20	로그의 성질	중상	6점	
9	로그부등식	중상	3.7점		21	상용로그의 성질	중상	6점	
10	삼각함수 사이의 관계	중상	3.7점		22	지수부등식	상	8점	
11	지수부등식	중상	3.7점		23	로그함수의 뜻과 그래프	최상	8점	
12	지수의 확장	중상	3.7점						

■ 2학년 1학기 중간고사(4회)

번호	소단원명	난이도	배점	○/×	번호	소단원명	난이도	배점	○/×
1	거듭제곱과 거듭제곱근	하	3.3점		13	로그함수의 뜻과 그래프	중상	4점	
2	지수방정식	하	3.3점		14	로그의 성질	중상	4점	
3	지수의 확장	하	3.3점		15	지수부등식	중상	4점	
4	지수의 확장	중하	3.3점		16	지수의 확장	중상	4점	
5	로그의 성질	중하	3.3점		17	로그함수의 뜻과 그래프	상	4점	
6	상용로그	중하	3.3점		18	상용로그의 성질	상	4점	
7	지수함수의 뜻과 그래프	중하	3.7점		19	지수의 확장	중하	6점	
8	지수함수의 뜻과 그래프	중하	3.7점		20	로그부등식	중상	6점	
9	일반각과 호도법	중하	3.7점		21	상용로그의 성질	상	6점	
10	일반각과 호도법	중하	3.7점		22	로그의 성질	상	8점	
11	삼각함수 사이의 관계	중하	3.7점		23	로그함수의 뜻과 그래프	상	8점	
12	삼각함수	중상	3.7점						

■ 2학년 1학기 중간고사(5회)

번호	소단원명	난이도	배점	○/×	번호	소단원명	난이도	배점	○/×
1	상용로그	하	3.3점		13	로그함수의 뜻과 그래프	중상	4점	
2	로그의 뜻	하	3.3점		14	로그부등식	중상	4점	
3	지수의 확장	하	3.3점		15	로그방정식	중상	4점	
4	지수함수의 뜻과 그래프	중하	3.3점		16	상용로그의 성질	중상	4점	
5	지수부등식	중하	3.3점		17	지수함수의 뜻과 그래프	상	4점	
6	일반각과 호도법	중하	3.3점		18	삼각함수	최상	4점	
7	삼각함수	중하	3.7점		19	일반각과 호도법	중하	6점	
8	지수의 확장	중상	3.7점		20	로그의 성질	중상	6점	
9	지수의 확장	중상	3.7점		21	로그함수의 뜻과 그래프	상	6점	
10	지수의 확장	중상	3.7점		22	상용로그의 성질	상	8점	
11	로그의 성질	중상	3.7점		23	로그함수의 뜻과 그래프	최상	8점	
12	상용로그	중상	3.7점						

■ 2학년 1학기 중간고사(6회)

번호	소단원명	난이도	배점	○/×	번호	소단원명	난이도	배점	○/×
1	지수의 확장	하	3.3점		13	상용로그의 성질	중상	4점	
2	지수방정식	하	3.3점		14	삼각함수 사이의 관계	중상	4점	
3	로그방정식	하	3.3점		15	지수방정식	중상	4점	
4	거듭제곱과 거듭제곱근	중하	3.3점		16	일반각과 호도법	상	4점	
5	삼각함수	중하	3.3점		17	지수함수의 뜻과 그래프	상	4점	
6	지수의 확장	중하	3.3점		18	로그함수의 뜻과 그래프	최상	4점	
7	상용로그의 성질	중하	3.7점		19	로그의 성질	하	6점	
8	로그함수의 뜻과 그래프	중하	3.7점		20	로그함수의 뜻과 그래프	중상	6점	
9	일반각과 호도법	중상	3.7점		21	로그방정식	중상	6점	
10	지수의 확장	중상	3.7점		22	로그의 성질	상	8점	
11	로그의 성질	중상	3.7점		23	로그방정식	최상	8점	
12	지수함수의 뜻과 그래프	중상	3.7점						

■ 2학년 1학기 중간고사(7회)

번호	소단원명	난이도	배점	○/×	번호	소단원명	난이도	배점	○/×
1	로그의 뜻	하	3.3점		13	지수의 확장	중상	4점	
2	거듭제곱과 거듭제곱근	하	3.3점		14	로그방정식	중상	4점	
3	로그함수의 뜻과 그래프	하	3.3점		15	로그의 성질	중상	4점	
4	삼각함수	중하	3.3점		16	일반각과 호도법	상	4점	
5	거듭제곱과 거듭제곱근	중하	3.3점		17	로그의 성질	상	4점	
6	로그의 성질	중하	3.3점		18	지수의 확장	상	4점	
7	상용로그의 성질	중하	3.7점		19	상용로그	하	6점	
8	지수함수의 뜻과 그래프	중하	3.7점		20	지수부등식	중하	6점	
9	로그함수의 뜻과 그래프	중상	3.7점		21	지수의 확장	중상	6점	
10	로그함수의 뜻과 그래프	중상	3.7점		22	지수부등식	상	8점	
11	지수방정식	중상	3.7점		23	삼각함수	상	8점	
12	로그부등식	중상	3.7점						

■ 2학년 1학기 중간고사(8회)

번호	소단원명	난이도	배점	○/×	번호	소단원명	난이도	배점	○/×
1	일반각과 호도법	하	3.3점		13	지수함수의 뜻과 그래프	중상	4점	
2	지수의 확장	하	3.3점		14	로그방정식	중상	4점	
3	로그함수의 뜻과 그래프	하	3.3점		15	상용로그의 성질	중상	4점	
4	지수방정식	중하	3.3점		16	로그방정식	상	4점	
5	거듭제곱과 거듭제곱근	중하	3.3점		17	거듭제곱과 거듭제곱근	상	4점	
6	지수의 확장	중하	3.3점		18	지수부등식	최상	4점	
7	상용로그	중하	3.7점		19	로그부등식	중하	6점	
8	로그의 뜻	중상	3.7점		20	지수함수의 뜻과 그래프	중상	6점	
9	로그의 성질	중상	3.7점		21	로그의 성질	중상	6점	
10	로그함수의 뜻과 그래프	중상	3.7점		22	상용로그의 성질	상	8점	
11	삼각함수 사이의 관계	중상	3.7점		23	로그함수의 뜻과 그래프	상	8점	
12	일반각과 호도법	중상	3.7점						

■ 2학년 1학기 중간고사(9회)

번호	소단원명	난이도	배점	○/×	번호	소단원명	난이도	배점	○/×
1	일반각과 호도법	하	3.3점		13	로그의 성질	중상	4점	
2	지수부등식	하	3.3점		14	로그의 성질	중상	4점	
3	거듭제곱과 거듭제곱근	중하	3.3점		15	로그의 성질	중상	4점	
4	거듭제곱과 거듭제곱근	중하	3.3점		16	로그함수의 뜻과 그래프	상	4점	
5	상용로그	중하	3.3점		17	로그방정식	상	4점	
6	로그부등식	중하	3.3점		18	삼각함수	상	4점	
7	거듭제곱과 거듭제곱근	중하	3.7점		19	일반각과 호도법	중상	6점	
8	지수의 확장	중하	3.7점		20	로그함수의 뜻과 그래프	중상	6점	
9	지수의 확장	중상	3.7점		21	삼각함수 사이의 관계	중상	6점	
10	지수함수의 뜻과 그래프	중상	3.7점		22	로그함수의 뜻과 그래프	상	8점	
11	로그의 성질	중상	3.7점		23	지수함수의 뜻과 그래프	최상	8점	
12	상용로그의 성질	중상	3.7점						

■ 2학년 1학기 중간고사(10회)

번호	소단원명	난이도	배점	○/×	번호	소단원명	난이도	배점	○/×
1	지수의 확장	하	3.3점		13	로그방정식	중상	4점	
2	로그방정식	중하	3.3점		14	상용로그의 성질	중상	4점	
3	로그의 뜻	중하	3.3점		15	거듭제곱과 거듭제곱근	상	4점	
4	상용로그	중하	3.3점		16	로그함수의 뜻과 그래프	상	4점	
5	지수방정식	중하	3.3점		17	지수의 확장	상	4점	
6	로그부등식	중하	3.3점		18	지수함수의 뜻과 그래프	최상	4점	
7	삼각함수	중하	3.7점		19	삼각함수 사이의 관계	중상	6점	
8	일반각과 호도법	중상	3.7점		20	로그부등식	중상	6점	
9	로그의 성질	중상	3.7점		21	로그의 성질	중상	6점	
10	거듭제곱과 거듭제곱근	중상	3.7점		22	지수함수의 뜻과 그래프	상	8점	
11	로그의 성질	중상	3.7점		23	로그함수의 뜻과 그래프	최상	8점	
12	상용로그의 성질	중상	3.7점						

■ [부록 1회] 삼각함수의 그래프

번호	소단원명	난이도	배점	○/×	번호	소단원명	난이도	배점	○/×
1	삼각함수의 그래프	중하	4점		5	삼각함수의 그래프	중상	5점	
2	삼각함수의 그래프	중하	4점		6	삼각함수의 그래프	상	5점	
3	삼각함수의 그래프	중상	4점		7	삼각함수의 그래프	중상	6점	
4	삼각함수의 그래프	중상	4점		8	삼각함수의 그래프	상	8점	

■ [부록 2회] 삼각함수의 그래프

번호	소단원명	난이도	배점	○/×	번호	소단원명	난이도	배점	○/×
1	삼각함수의 그래프	중하	4점		5	삼각함수의 그래프	중상	5점	
2	삼각함수의 그래프	중하	4점		6	삼각함수의 그래프	상	5점	
3	삼각함수의 그래프	중상	4점		7	삼각함수의 그래프	중상	6점	
4	삼각함수의 그래프	중상	4점		8	삼각함수의 그래프	상	8점	

■ [부록 3회] 삼각함수의 그래프

번호	소단원명	난이도	배점	○/×	번호	소단원명	난이도	배점	○/×
1	삼각함수의 그래프	중하	4점		5	삼각함수의 그래프	상	5점	
2	삼각함수의 그래프	중하	4점		6	삼각함수의 그래프	상	5점	
3	삼각함수의 그래프	중하	4점		7	삼각함수의 그래프	상	6점	
4	삼각함수의 그래프	중상	4점		8	삼각함수의 그래프	최상	8점	

■ [부록 4회] 삼각함수의 활용

번호	소단원명	난이도	배점	○/×	번호	소단원명	난이도	배점	○/×
1	삼각함수의 활용	중하	4점		5	삼각함수의 활용	중상	5점	
2	삼각함수의 활용	중하	4점		6	삼각함수의 활용	상	5점	
3	삼각함수의 활용	중하	4점		7	삼각함수의 활용	상	6점	
4	삼각함수의 활용	중상	4점		8	삼각함수의 활용	최상	8점	

20○○학년도 2학년 1학기 중간고사 (1회)

수 학 I

범위: 지수와 로그 ~ 삼각함수의 뜻

대상	2학년	고사일시	20 년 월 일	과목코드	01	시간	50분	점수	/100점

- 답안지에 필요한 인적 사항을 정확히 기입할 것.
- 객관식 문제의 답안 표기는 OMR카드에 반드시 컴퓨터용 사인펜을 사용하여 기입할 것.
- 주관식 문제의 답안 표기는 반드시 검은색 펜을 사용할 것.

객관식

01

다음 중 옳지 않은 것은? [3.3점]

① 네제곱근 100은 $\sqrt{10}$ 이다.

② 5는 125의 세제곱근이다.

③ 4의 네제곱근은 2개이다.

④ -27의 세제곱근 중에서 실수인 것은 -3이다.

⑤ n이 2보다 큰 홀수일 때, -5의 n제곱근 중에서 실수인 것은 $-\sqrt[n]{5}$ 이다.

02

양수 a에 대하여 $\sqrt[4]{\sqrt[3]{a}\times\dfrac{a}{\sqrt{a}}}=a^k$일 때, 상수 k의 값은? [3.3점]

① $\dfrac{9}{48}$ ② $\dfrac{5}{24}$ ③ $\dfrac{11}{48}$

④ $\dfrac{1}{4}$ ⑤ $\dfrac{13}{48}$

03

$\log_3 6+\log_3 54-\log_3 4$의 값은? [3.3점]

① 1 ② 2 ③ 3

④ 4 ⑤ 5

04

모든 실수 x에 대하여 $\log_2(x^2-2ax+4a)$가 정의되도록 하는 실수 a의 값의 범위는? [3.3점]

① $-4<a<-1$ ② $-4<a<0$ ③ $-1<a<1$

④ $0<a<4$ ⑤ $1<a<5$

05

다음 상용로그표를 이용하여 $\log x = -2.8477$을 만족시키는 x의 값을 구하면? [3.3점]

수	0	1	2	3	4	⋯
⋮	⋮	⋮	⋮	⋮	⋮	⋰
1.2	.0792	.0828	.0864	.0899	.0934	⋯
1.3	.1139	.1173	.1206	.1239	.1271	⋯
1.4	.1461	.1492	.1523	.1553	.1584	⋯
⋮	⋮	⋮	⋮	⋮	⋮	⋱

① 0.00131 ② 0.00142 ③ 0.0121
④ 0.0131 ⑤ 0.0142

06

정의역이 $\{x \mid -2 \le x \le 4\}$인 두 지수함수
$f(x)=4^x$, $g(x)=\left(\frac{1}{2}\right)^x$에 대하여 $f(x)$의 최댓값을 M, $g(x)$의 최솟값을 m이라 할 때, Mm의 값은? [3.3점]

① 2 ② 4 ③ 8
④ 16 ⑤ 32

07

그림과 같은 로그함수 $y=\log_3 x$의 그래프에서 선분 AB의 길이가 3일 때, $\frac{b}{a}$의 값은? [3.7점]

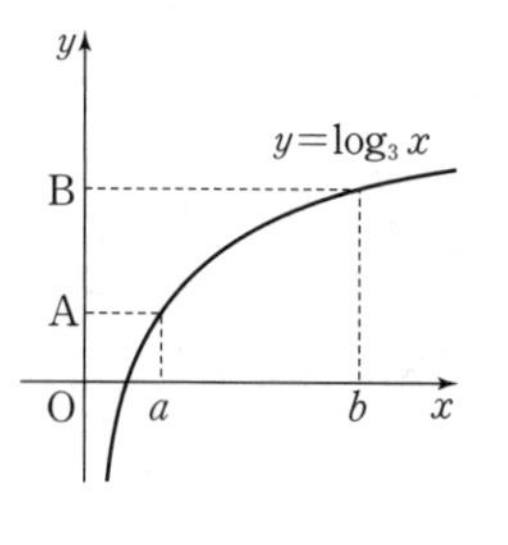

① 3 ② 9
③ 27 ④ 81
⑤ 243

08

지수함수 $y=2^x$의 그래프를 직선 $y=x$에 대하여 대칭이동한 다음 x축의 방향으로 3만큼, y축의 방향으로 5만큼 평행이동한 그래프가 점 $(k, 10)$을 지날 때, k의 값은? [3.7점]

① 32 ② 33 ③ 34
④ 35 ⑤ 36

09

〈보기〉에서 함수 $y=\log_2 x$의 그래프를 평행이동 또는 대칭이동하여 일치할 수 있는 것만을 있는 대로 고른 것은? [3.7점]

보기

ㄱ. $y=\log_2(-x)$　　ㄴ. $y=\log_2(x-3)$

ㄷ. $y=2\log_2 x$　　ㄹ. $y=\log_2 2x$

① ㄱ　② ㄴ　③ ㄱ, ㄷ
④ ㄱ, ㄹ　⑤ ㄱ, ㄴ, ㄹ

10

로그방정식 $\log_2(x+6)=\log_{\sqrt{2}} x$의 해는? [3.7점]

① 1　② 2　③ 3
④ 4　⑤ 5

11

중심각의 크기가 $\frac{\pi}{3}$이고, 호의 길이가 π cm인 부채꼴의 넓이는? [3.7점]

① $\frac{\pi}{2}$ cm^2　② π cm^2　③ $\frac{3}{2}\pi$ cm^2
④ 2π cm^2　⑤ $\frac{5}{2}\pi$ cm^2

12

원점 O와 점 $P(a, 2)$에 대하여 동경 OP가 나타내는 각을 θ라 하면 $\tan\theta=-\frac{3}{5}$이다. 선분 OP의 길이는? [3.7점]

① $\frac{\sqrt{17}}{3}$　② $\frac{\sqrt{34}}{3}$　③ $\frac{2\sqrt{17}}{3}$
④ $\frac{2\sqrt{34}}{3}$　⑤ $\frac{3\sqrt{17}}{3}$

13

0이 아닌 두 실수 a, b가 다음 조건을 만족시킬 때, 3^b의 값은? [4점]

(가) $\frac{1}{a}+\frac{1}{2b}=\frac{1}{2}$ (나) $5^a=9^b$

① 5 ② 10 ③ 15
④ 20 ⑤ 25

14

세 양수 a, b, c에 대하여

$$a^x=b^y=c^z=27,\ xy+yz+zx=xyz$$

일 때, $\log_3 abc$의 값은? (단, $xyz\neq0$) [4점]

① $\frac{1}{9}$ ② $\frac{1}{3}$ ③ 1
④ 3 ⑤ 9

15

유튜브 강의

$10^3\leq x<10^4$이고, $\log x$의 소수 부분과 $\log\sqrt{x}$의 소수 부분의 합이 1일 때, $\log x$의 소수 부분은? [4점]

① $\frac{1}{10}$ ② $\frac{1}{5}$ ③ $\frac{1}{4}$
④ $\frac{1}{3}$ ⑤ $\frac{1}{2}$

16

유튜브 강의

두 집합

$$A=\{x\,|\,4^x-(a+1)2^x+a\leq0\},$$
$$B=\{x\,|\,(\log_2 x)^2-\log_2 x^3+2\leq0\}$$

에 대하여 $A\cup B=A$가 성립할 때, 실수 a의 최솟값은? [4점]

① 8 ② 10 ③ 12
④ 14 ⑤ 16

17

그림과 같이 각 단의 부피가 일정한 비율로 감소하는 8단 케이크를 만들었다. 이 케이크의 제2단의 부피를 p, 제4단의 부피를 q라 할 때, 제8단의 부피를 p와 q로 나타낸 것은? [4점]

① $\frac{q^2}{p^2}$　② $\frac{q^3}{p^2}$　③ $\frac{p^2}{q}$
④ $\frac{p^3}{q}$　⑤ $\frac{p^3}{q^3}$

18

그림과 같이 함수 $y=|3^{-x+a}+b|$의 그래프가 x축, y축과 각각 점 A, 점 B에서 만난다. 점 B의 좌표가 $(0, 16)$이고, 점근선이 $y=2$일 때, 삼각형 AOB의 넓이는?

(단, O는 원점이고, a, b는 상수이다.) [4점]

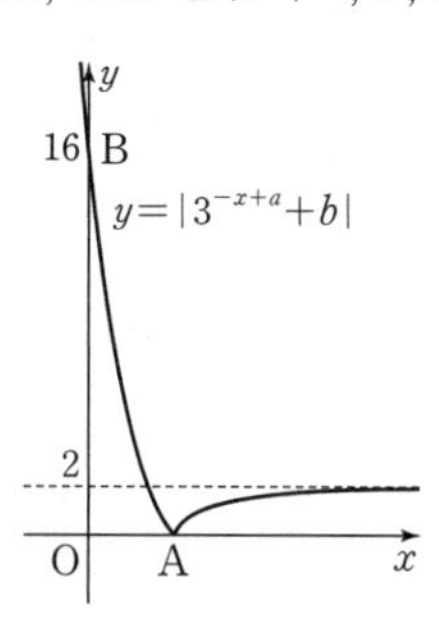

① 12　② 14　③ 16
④ 18　⑤ 20

※ 다음은 서술형 문제입니다. 서술형 답안지에 풀이 과정과 답을 정확하게 서술하시오.

서술형 주관식

19

$a>1$이고, $a^{\frac{1}{2}}+a^{-\frac{1}{2}}=3$일 때, $a^{\frac{3}{2}}-a^{-\frac{3}{2}}$의 값을 구하시오.

[6점]

20

방정식 $4^x-2^{x+3}+15=0$의 두 근을 α, β라 할 때, $2^{2\alpha}+2^{2\beta}$의 값을 구하시오. [6점]

21

지진 발생 시 에너지의 세기를 나타내는 척도인 리히터 규모 M과 그 에너지 E 사이에는

$\log_{10} E = k + 1.5M$ (k는 상수)

인 관계식이 성립한다. 어느 해안에서 처음 발생한 리히터 규모가 a인 지진의 에너지가 며칠 후에 발생한 규모가 9인 지진의 에너지의 0.1^6배일 때, a의 값을 구하시오. [6점]

22

유튜브 강의

이차방정식 $x^2-2x+a=0$의 두 근이 $\tan\theta$, $\dfrac{1}{\tan\theta}$일 때, $\dfrac{\sin\theta\cos\theta}{a}$의 값을 구하시오. (단, a는 상수이다.) [8점]

23

유튜브 강의

모든 실수 x에 대하여 부등식 $k\times 2^x \le 4^x - 2^x + 4$가 항상 성립하도록 하는 실수 k의 값의 범위를 구하시오. [8점]

20○○학년도 2학년 1학기 중간고사 (2회)

수 학 I

범위: 지수와 로그 ~ 삼각함수의 뜻

대상	2학년	고사일시	20 년 월 일	과목코드	02	시간	50분	점수	/100점

• 답안지에 필요한 인적 사항을 정확히 기입할 것.
• 객관식 문제의 답안 표기는 OMR카드에 반드시 컴퓨터용 사인펜을 사용하여 기입할 것.
• 주관식 문제의 답안 표기는 반드시 검은색 펜을 사용할 것.

객관식

01

-125의 세제곱근 중에서 실수인 것을 a라 하고, 네제곱근 16을 b라 할 때, $a+b$의 값은? [3.3점]

① -5　② -3　③ -1
④ 1　⑤ 3

02

$\frac{1}{\log_2 36}+\frac{1}{\log_3 36}$의 값은? [3.3점]

① $\frac{1}{4}$　② $\frac{1}{2}$　③ 1
④ 2　⑤ 4

03

다음 계산에서 처음으로 잘못된 곳은? [3.3점]

$$\sqrt{\sqrt[4]{(-2)^8\times(-2)^{16}}}\underset{①}{=}\sqrt{\sqrt[4]{(-2)^{24}}}\underset{②}{=}\sqrt[8]{(-2)^{24}}$$

$$\underset{③}{=}(-2)^{\frac{24}{8}}\underset{④}{=}(-2)^3\underset{⑤}{=}-8$$

04

$N=\sqrt[3]{\frac{\sqrt{x^3}}{\sqrt[4]{x}}}\times\sqrt{\frac{\sqrt[6]{x}}{\sqrt[3]{x}}}$일 때, 다음 중 N의 값이 자연수가 되게 하는 양수 x의 값이 아닌 것은? [3.3점]

① 3^4　② 4^3　③ 5^6
④ 8^5　⑤ 10^9

05

함수 $y=2^{2x}$의 그래프를 x축의 방향으로 m만큼, y축의 방향으로 n만큼 평행이동하였더니 함수 $y=4\times2^{2x}+5$의 그래프와 일치하였다. $m+n$의 값은? [3.3점]

① 1　② 2　③ 3　④ 4　⑤ 5

06

방정식 $2^x+2^{3-x}=6$을 만족시키는 모든 근의 합은? [3.3점]

① -3　② -1　③ 0　④ 1　⑤ 3

07

〈보기〉 중 제2사분면의 각의 개수는? [3.7점]

보기

ㄱ. $210°$　ㄴ. $-200°$
ㄷ. $500°$　ㄹ. $455°$

① 0　② 1　③ 2　④ 3　⑤ 4

08

1이 아닌 두 양수 a, b가 $a^2b^3=1$을 만족시킬 때, $\log_{ab}a^4b^2$의 값은? [3.7점]

① 6　② 7　③ 8　④ 9　⑤ 10

09

$\log 7$의 소수 부분을 α, $\log 11$의 소수 부분을 β라 할 때, $\log 77^2$의 소수 부분을 α, β로 나타내면? [3.7점]

① $\alpha+\beta-1$　② $\alpha+\beta-2$　③ $2\alpha+2\beta$
④ $2\alpha+2\beta-1$　⑤ $2\alpha+2\beta+2$

10

함수 $y=\log_3(2-x)+\log_3(x+4)+1$의 최댓값은? [3.7점]

① 1　② 2　③ 3
④ 4　⑤ 5

11

모든 실수 x에 대하여 부등식 $\left(\frac{1}{3}\right)^{x^2+6}\leq 3^{k(1-2x)}$이 성립하기 위한 정수 k의 최댓값을 M, 최솟값을 m이라 할 때, M^2+m^2의 값은? [3.7점]

① 11　② 13　③ 15
④ 17　⑤ 19

12

그림은 함수 $f(x)=2^x$의 그래프와 그 역함수 $y=f^{-1}(x)$의 그래프이다. 점 D의 좌표를 $(a,\ b)$라 할 때, $a+b$의 값은? [3.7점]

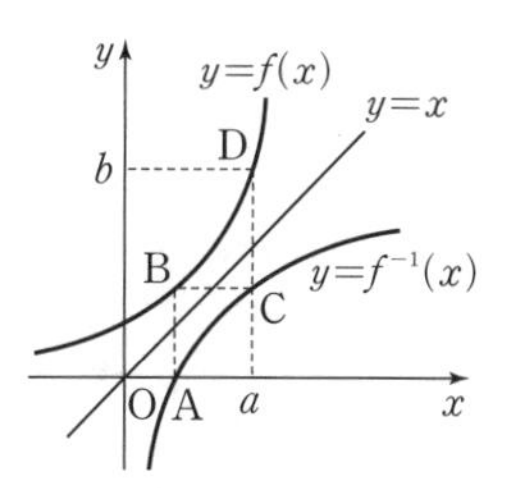

① 12　② 14
③ 16　④ 18
⑤ 20

13

부등식 $\log_9(\log_2 x-3)\le\frac{1}{2}$을 만족시키는 정수 x의 개수는? [4점]

① 50 ② 52 ③ 54
④ 56 ⑤ 58

14

둘레의 길이가 10인 부채꼴의 넓이가 최대일 때, 그 중심각의 크기 θ에 대하여 다음 중 옳은 것은? [4점]

① $0<\theta<\frac{\pi}{6}$ ② $\frac{\pi}{6}<\theta<\frac{\pi}{3}$
③ $\frac{\pi}{3}<\theta<\frac{\pi}{2}$ ④ $\frac{\pi}{2}<\theta<\frac{2}{3}\pi$
⑤ $\frac{2}{3}\pi<\theta<\pi$

15

$\tan\theta+\frac{1}{\tan\theta}=4$일 때, $\frac{1}{\sin^2\theta}+\frac{1}{\cos^2\theta}$의 값은? [4점]

① 2 ② 4 ③ 8
④ 16 ⑤ 32

16

운동을 시작하기 전의 체지방률이 T_0 $(T_0>0)$이라 할 때, 매일 한 시간씩 유산소 운동을 꾸준히 할 경우 x일 후의 체지방률 T는

$$T=T_0\times a^{-\frac{x}{10}}\ (a>0,\ a\neq1)$$

이라고 한다. 운동을 시작한 후, 체지방률이 운동 전 체지방률의 b배가 되는 것은 몇 일 후인지 a와 b에 대한 식으로 나타내면? [4점]

① $-10\log_a b$ ② $-10\log_b a$ ③ $\log_a b$
④ $\log_b a$ ⑤ $10\log_a b$

17

두 자연수 x, y에 대하여 x^8은 25자리의 수, y^5은 16자리의 수일 때, xy는 n자리의 수가 된다. n의 값은? [4점]

① 4 ② 5 ③ 6
④ 7 ⑤ 8

18

함수 $f(x)=2^x-1$에 대하여 〈보기〉에서 옳은 것만을 있는 대로 고른 것은? [4점]

보기

ㄱ. $x>1$이면 $\frac{f(x)}{x}>1$

ㄴ. $0<x<1$이면 $0<\frac{f(x)}{x}<1$

ㄷ. $x<0$이면 $\frac{f(x)}{x}<0$

① ㄱ ② ㄷ ③ ㄱ, ㄴ
④ ㄴ, ㄷ ⑤ ㄱ, ㄴ, ㄷ

※ 다음은 서술형 문제입니다. 서술형 답안지에 풀이 과정과 답을 정확하게 서술하시오.

서술형 주관식

19

$4^x=2$일 때, $\frac{8^x+8^{-x}}{2^x+2^{-x}}$의 값을 구하시오. [6점]

20

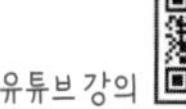

각 θ를 나타내는 동경과 각 7θ를 나타내는 동경이 일직선 위에 있고 방향이 반대일 때, $\cos\left(\theta-\frac{2}{3}\pi\right)$의 값을 구하시오.

$\left(\text{단, } \frac{\pi}{2}<\theta<\pi\right)$ [6점]

21

어느 공장의 작업 인원수 x, 기계 가동률 y, 제품 생산량 z 사이에 $z=2x^{2a}y^{1+a}$인 관계가 성립한다고 한다. 작업 인원수를 8배, 기계 가동률을 4배로 증가시키면 제품 생산량이 16배 증가한다고 할 때, 상수 a의 값을 구하시오. [6점]

22

유튜브 강의

$[\log_3 1]+[\log_3 2]+[\log_3 3]+[\log_3 4]+\cdots+[\log_3 80]$의 값을 구하시오. (단, $[x]$는 x보다 크지 않은 최대의 정수이다.) [8점]

23

유튜브 강의

그림과 같이 두 곡선 $y=2^{x+1}$, $y=\log_3(x+1)+1$이 y축과 만나는 점을 각각 A, B라 하자. 점 A를 지나고 x축에 평행한 직선이 곡선 $y=\log_3(x+1)+1$과 만나는 점을 C, 점 B를 지나고 x축에 평행한 직선이 곡선 $y=2^{x+1}$과 만나는 점을 D라 할 때, 사각형 ADBC의 넓이를 구하시오. [8점]

20○○학년도 2학년 1학기 중간고사 (3회)

수 학 I

범위: 지수와 로그 ~ 삼각함수의 뜻

대상	2학년	고사일시	20 년 월 일	과목코드	03	시간	50분	점수	/100점

• 답안지에 필요한 인적 사항을 정확히 기입할 것.
• 객관식 문제의 답안 표기는 OMR카드에 반드시 컴퓨터용 사인펜을 사용하여 기입할 것.
• 주관식 문제의 답안 표기는 반드시 검은색 펜을 사용할 것.

객관식

01

$\log 7.13=0.8531$일 때, 다음 중 옳지 않은 것은? [3.3점]

① $\log 713=2.8531$
② $\log 0.0713=-1.1469$
③ $\log 71.3=1.8531$
④ $\log 71300=5.8531$
⑤ $\log 0.00713=-2.1469$

02

다음 중 함수 $y=\log_2(-x+3)+4$에 대한 설명으로 옳지 않은 것은? [3.3점]

① 정의역은 $\{x\,|\,x<3\}$이다.
② 그래프는 제1, 2, 4사분면을 지난다.
③ 그래프의 점근선은 직선 $x=3$이다.
④ 그래프는 점 $(3, 4)$를 지난다.
⑤ x의 값이 증가하면 y의 값은 감소한다.

03

$\log_2 5\sqrt{3}+\log_2 \frac{12}{5}-\log_2 3\sqrt{3}$의 값은? [3.3점]

① $\frac{1}{2}$ ② 1 ③ 2
④ 4 ⑤ 8

04

$x=\sqrt[8]{2}-\frac{1}{\sqrt[8]{2}}$일 때, $\sqrt{x^2+4}$의 값은? [3.3점]

① $\sqrt{2}-\frac{1}{\sqrt{2}}$ ② $\sqrt{2}+\frac{1}{\sqrt{2}}$
③ $\sqrt[4]{2}-\frac{1}{\sqrt[4]{2}}$ ④ $\sqrt[4]{2}+\frac{1}{\sqrt[4]{2}}$
⑤ $\sqrt[8]{2}+\frac{1}{\sqrt[8]{2}}$

05

$2^x=3^y=36$일 때, $\frac{1}{x}+\frac{1}{y}$의 값은? [3.3점]

① $\frac{1}{4}$ ② $\frac{1}{3}$ ③ $\frac{1}{2}$
④ 1 ⑤ 2

06

호의 길이가 $\frac{2}{3}\pi$, 넓이가 $\frac{8}{3}\pi$인 부채꼴의 중심각의 크기는? [3.3점]

① $\frac{\pi}{24}$ ② $\frac{\pi}{12}$ ③ $\frac{\pi}{8}$
④ $\frac{\pi}{6}$ ⑤ $\frac{\pi}{4}$

07

원점과 점 P$(5,\ -12)$를 이은 선분을 동경으로 하는 각의 크기를 θ라 할 때, $13(\sin\theta+\cos\theta)$의 값은? [3.7점]

① -6 ② -7 ③ -8
④ -9 ⑤ -10

08

$\log 15$의 정수 부분을 x, 소수 부분을 y라 할 때, 10^x+10^{-y}의 값은? [3.7점]

① $\frac{26}{3}$ ② $\frac{29}{3}$ ③ $\frac{32}{3}$
④ $\frac{35}{3}$ ⑤ $\frac{38}{3}$

09

x에 대한 방정식 $x^2-2(2+\log_3 a)x+1=0$이 실근을 가지도록 하는 실수 a의 값의 범위는? [3.7점]

① $a\leq-3$ 또는 $a\geq-1$　② $-3\leq a\leq-1$

③ $\frac{1}{27}\leq a\leq\frac{1}{3}$　④ $a\leq\frac{1}{27}$ 또는 $a\geq\frac{1}{3}$

⑤ $0<a\leq\frac{1}{27}$ 또는 $a\geq\frac{1}{3}$

10

이차방정식 $x^2-kx+3=0$의 두 근이 $\frac{1}{\sin\theta}$, $\frac{1}{\cos\theta}$일 때, k^2의 값은? (단, k는 상수이다.) [3.7점]

① 3　② 6　③ 9　④ 15　⑤ 18

11

부등식 $2^{2x+1}-9\times2^{x-1}+1\leq0$을 만족시키는 정수 x의 개수는? [3.7점]

① 1　② 2　③ 3　④ 4　⑤ 5

12

0이 아닌 두 실수 a, b에 대하여 $a<b$, $2^{\frac{b}{a}}\times2^{\frac{a}{b}}=2^{2\sqrt{2}}$일 때, $4^{\frac{b}{a}-\frac{a}{b}}$의 값은? [3.7점]

① $8\sqrt{2}$　② 16　③ $16\sqrt{2}$　④ 32　⑤ $32\sqrt{2}$

13

$-1<\log_a x<0$일 때,
$A=(\log_a x)^2$, $B=\log_a x^2$, $C=\log_{\frac{1}{a}} x$의 대소 관계를 바르게 나타낸 것은? (단, $a>0$, $a\neq1$, $x>0$) [4점]

① $A<B<C$　② $A<C<B$　③ $B<A<C$
④ $B<C<A$　⑤ $C<A<B$

14

소리의 강도를 나타내는 데시벨(dB) 수 S와 소리의 압력 $P(\text{dyn/cm}^2)$ 사이에는 다음과 같은 관계식이 성립한다고 한다.

$$S=20\log\frac{P}{k}\ \text{(단, } k\text{는 상수이다.)}$$

소리의 압력이 $0.03\,\text{dyn/cm}^2$일 때, 소리의 강도가 $110.4\,\text{dB}$이라고 한다. 소리의 압력이 $0.0972\,\text{dyn/cm}^2$일 때, 소리의 강도 S의 값은? (단, $\log 2=0.30$, $\log 3=0.48$로 계산한다.) [4점]

① 112　② 114.2　③ 116.4
④ 118.6　⑤ 120.8

15

▶ 유튜브 강의

그림과 같이 두 곡선 $y=2^{x-3}$, $y=2^{x+1}$ 위의 두 점 A, B와 x축 위의 두 점 C, D를 이어 만든 사각형 ABCD가 정사각형일 때, 삼각형 AOD의 넓이는? (단, O는 원점이다.) [4점]

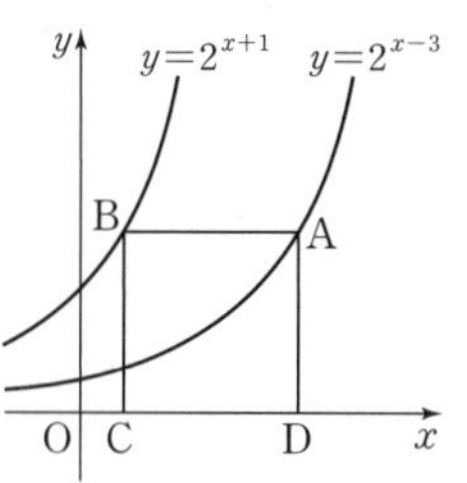

① 6　② 10　③ 15
④ 21　⑤ 28

16

▶ 유튜브 강의

방정식 $x^{\log x}-\frac{100}{x}=0$의 모든 근의 곱은? [4점]

① $\frac{1}{100}$　② $\frac{1}{10}$　③ 1
④ 10　⑤ 100

17

양의 실수 전체의 집합에서 정의된 함수 $f(x)=\log 2x$에 대하여 〈보기〉에서 옳은 것만을 있는 대로 고른 것은? [4점]

보기

ㄱ. $f\left(\frac{1}{16}\right)=-f(4)$　　ㄴ. $f(x)+f(y)=f(2xy)$

ㄷ. $f(x^2)=2f(x)$

① ㄱ　② ㄴ　③ ㄱ, ㄴ
④ ㄱ, ㄷ　⑤ ㄴ, ㄷ

18

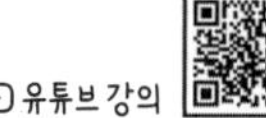

두 함수 $f(x)$, $g(x)$를

$f(x)=x^2-6x+1$, $g(x)=a^x$ $(a>0, a\neq1)$

이라 하자. $1\leq x\leq 4$에서 함수 $(g\circ f)(x)$의 최댓값은 16, 최솟값은 m이다. m의 값은? [4점]

① $\sqrt{2}$　② 2　③ $2\sqrt{2}$
④ 4　⑤ $4\sqrt{2}$

※ 다음은 서술형 문제입니다. 서술형 답안지에 풀이 과정과 답을 정확하게 서술하시오.

서술형 주관식

19

1이 아닌 양수 a에 대하여 $\sqrt[4]{a^3\sqrt[3]{a\sqrt{a}}}=a^{\frac{n}{m}}$일 때, $m+n$의 값을 구하시오. (단, m과 n은 서로소인 자연수이다.) [6점]

20

이차방정식 $x^2+x\log_2 20+2\log_2 5=0$의 두 근을 α, β라 할 때, $2^\alpha+2^\beta$의 값을 구하시오. [6점]

21

실험실에서 어떤 박테리아의 번식력을 측정하였더니 1시간마다 2배로 증가하였다. 처음에 4마리의 박테리아로 번식력을 측정하였다면 32000마리 이상이 되기까지 걸리는 최소 시간을 구하시오. (단, $\log 2=0.3$으로 계산한다.) [6점]

22

▶ 유튜브 강의

이차함수 $y=f(x)$의 그래프와 일차함수 $y=g(x)$의 그래프가 그림과 같을 때, 부등식

$$2^{f(x)g(x)} \leq 8^{g(x)}$$

을 만족시키는 모든 자연수 x의 값의 합을 구하시오. [8점]

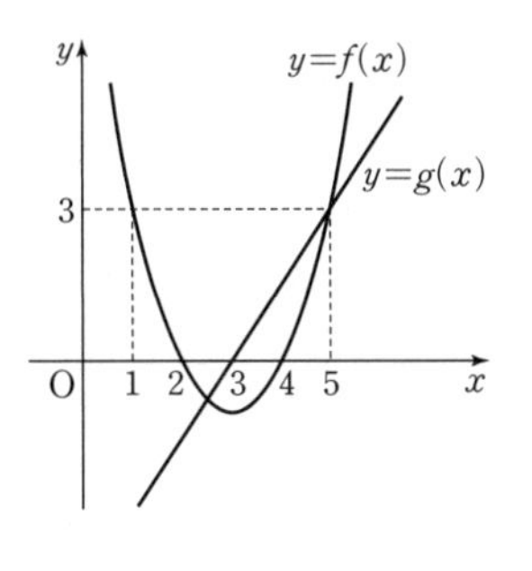

23

▶ 유튜브 강의

세 점 A(3, −1), B(5, −1), C(3, 3)을 연결하여 만든 삼각형이 있다. 함수 $y=\log_a(x-1)-3$에 대하여 다음을 구하시오.

(1) 이 함수의 그래프가 a의 값에 관계없이 항상 지나는 점의 좌표를 구하시오. [2점]

(2) 이 함수의 그래프가 삼각형 ABC와 만나기 위한 상수 a의 최댓값을 M, 최솟값을 N이라 할 때, $\left(\frac{M}{N}\right)^6$의 값을 구하시오. [6점]

20○○학년도 2학년 1학기 중간고사 (4회)

수 학 I

범위: 지수와 로그 ~ 삼각함수의 뜻

대상	2학년	고사일시	20 년 월 일	과목코드	04	시간	50분	점수	/100점

• 답안지에 필요한 인적 사항을 정확히 기입할 것.
• 객관식 문제의 답안 표기는 OMR카드에 반드시 컴퓨터용 사인펜을 사용하여 기입할 것.
• 주관식 문제의 답안 표기는 반드시 검은색 펜을 사용할 것.

객관식

01

다음 설명 중 옳은 것은? [3.3점]

① 9의 제곱근은 3이다.
② 제곱근 25는 -5, 5이다.
③ -1은 -1의 제곱근이다.
④ 81의 네제곱근 중에서 실수인 것은 3이다.
⑤ -27의 세제곱근 중에서 실수인 것은 -3이다.

02

방정식 $2^{-x+5}=4^{x-2}$의 근을 a라 할 때, a의 값은? [3.3점]

① 1 ② 2 ③ 3
④ 4 ⑤ 5

03

$(a^{\sqrt{3}})^{2\sqrt{3}}\div a^2\times(\sqrt[3]{a})^9=a^k$일 때, 상수 k의 값은?

(단, $a>0$, $a\neq1$) [3.3점]

① 1 ② 3 ③ 5
④ 7 ⑤ 9

04

$2^x\times2^y=8$, $(2^x)^y=16$일 때, $2^{x^2}\times2^{y^2}$의 값은? [3.3점]

① 2 ② 2^2 ③ 2^3
④ 2^4 ⑤ 2^5

05

$\log_{\sqrt{3}} a=2$이고 $\log_{\frac{1}{3}} 27=b$일 때, $\log_a b^4$의 값은? [3.3점]

① 1　② 2　③ 3
④ 4　⑤ 5

06

$\log 2=a$, $\log 3=b$라 할 때, $\log 45$를 a, b로 나타내면? [3.3점]

① $-2a+b+1$　② $-a+2b+1$　③ $a-2b+2$
④ $2a-2b$　⑤ $2a-b+2$

07

지수함수 $f(x)=\left(\frac{1}{2}\right)^x$에 대한 〈보기〉의 설명 중에서 옳은 것만을 있는 대로 고른 것은? [3.7점]

보기

ㄱ. 그래프는 점 $(0, 1)$을 지난다.
ㄴ. 그래프의 점근선의 방정식은 $y=0$이다.
ㄷ. 두 실수 a, b에 대하여 $a<b$이면 $f(a)<f(b)$이다.

① ㄱ　② ㄷ　③ ㄱ, ㄴ
④ ㄴ, ㄷ　⑤ ㄱ, ㄴ, ㄷ

08

$-2\le x\le 1$에서 정의된 함수 $y=3^{-x}\times 2^x$의 최댓값을 M, 최솟값을 m이라 할 때, Mm의 값은? [3.7점]

① $\frac{1}{2}$　② $\frac{2}{3}$　③ $\frac{3}{2}$
④ $\frac{9}{4}$　⑤ 3

09

$0<\theta<2\pi$이고 각 θ의 동경과 각 5θ의 동경이 일치할 때, 모든 θ의 값의 합은? [3.7점]

① π ② 2π ③ 3π
④ 4π ⑤ 5π

10

반지름의 길이가 4, 중심각의 크기가 $\frac{\pi}{4}$인 부채꼴이 있다.
이 부채꼴의 넓이와 같은 넓이를 갖는 원의 반지름의 길이는? [3.7점]

① 1 ② $\sqrt{2}$ ③ 2
④ $2\sqrt{2}$ ⑤ 3

11

$\tan\theta+\frac{1}{\tan\theta}=-2$일 때, $\sin\theta+\cos\theta$의 값은? [3.7점]

① $-\sqrt{2}$ ② -1 ③ 0
④ 1 ⑤ $\sqrt{2}$

12

$\frac{\sqrt{\sin\theta}}{\sqrt{\cos\theta}}=-\sqrt{\tan\theta}$를 만족시키는 각 θ에 대하여

$$|\sin\theta|-\sqrt{\cos^2\theta}+|1+\sin\theta|+\sqrt{(\cos\theta-\sin\theta)^2}$$

을 간단히 하면? (단, $\sin\theta\neq0$) [3.7점]

① $1-3\sin\theta$ ② $1-3\cos\theta$ ③ 1
④ $1+3\sin\theta$ ⑤ $1+3\cos\theta$

13

함수 $y=\log_2(x-4)+3$의 그래프는 $y=2^x$의 그래프를 x축의 방향으로 a만큼, y축의 방향으로 b만큼 평행이동한 후 직선 $y=x$에 대하여 대칭이동한 것이다. ab의 값은? [4점]

① 1　② 4　③ 6　④ 10　⑤ 12

14

$x=\log_{\sqrt{2}}(\sqrt{2}+1)$, $y=\log_2(\sqrt{2}+1)^2$일 때, $2^{\frac{x}{2}}+2^{-\frac{y}{2}}$의 값은? [4점]

① 2　② $2\sqrt{2}$　③ $\sqrt{2}+1$　④ $2\sqrt{2}+1$　⑤ $\sqrt{2}+2$

15

모든 실수 x에 대하여 이차부등식 $x^2+2(2^a+1)x-3(2^a-5)>0$이 성립하도록 하는 실수 a의 값의 범위는? [4점]

① $a<0$　② $a<1$　③ $a<2$　④ $a>1$　⑤ $a>2$

16

어떤 용기에 뜨거운 물을 부어 처음 온도를 잰 후, t분 후에 물의 온도 T (℃)와 실험실 안의 온도 R (℃)의 관계를 조사하였더니 다음 식이 성립함을 알았다.

$T=R+k\times10^{tm}$ (단, m, k, R는 상수이다.)

뜨거운 물을 이 용기에 담고, 1분 후에 온도를 재어 보니 물의 온도가 80 ℃였고, 그로부터 5분 후에 다시 재었더니 50 ℃이었다. 실험실 온도가 20 ℃로 일정할 때, 처음 물의 온도는 약 몇 ℃인가? (단, $\sqrt[5]{0.5}=0.87$로 계산한다.) [4점]

① 약 89 ℃　② 약 92 ℃　③ 약 94 ℃　④ 약 96 ℃　⑤ 약 98 ℃

17

▶유튜브 강의

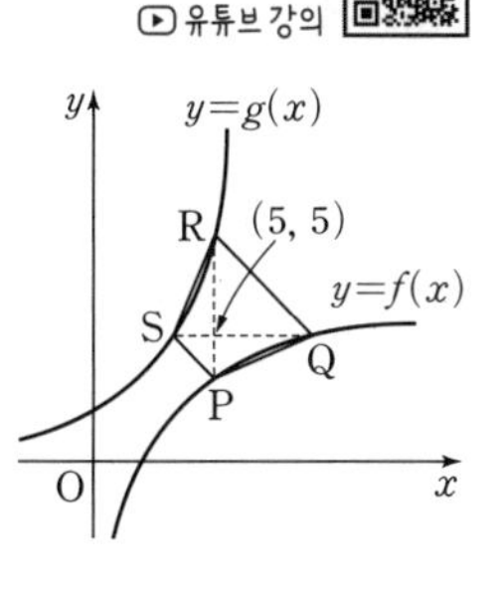

그림과 같이 함수 $f(x)=\log_2(x-1)$의 그래프와 $y=f(x)$의 역함수 $y=g(x)$의 그래프가 있다. 점 $(5,\ 5)$에서 y축, x축에 각각 평행한 직선을 그어 곡선 $y=f(x)$와 만나는 점을 각각 P, Q라 하고 곡선 $y=g(x)$와 만나는 점을 각각 R, S라 할 때, 사각형 PQRS의 넓이는? [4점]

① $\frac{941}{2}$ ② 473 ③ $\frac{951}{2}$

④ 478 ⑤ $\frac{961}{2}$

18

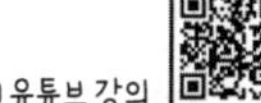
▶유튜브 강의

두 자연수 A, B에 대하여 $\frac{A^3}{B^2}$의 정수 부분은 7자리 수이고, $\frac{B^2}{A}$은 소수점 아래 넷째 자리에서 처음으로 0이 아닌 숫자가 나타날 때, A의 정수 부분은 몇 자리 수인가? [4점]

① 1자리 ② 2자리 ③ 3자리

④ 4자리 ⑤ 5자리

※ 다음은 서술형 문제입니다. 서술형 답안지에 풀이 과정과 답을 정확하게 서술하시오.

서술형 주관식

19

$a=2^{\frac{2}{3}}$, $b=3^{\frac{1}{6}}$일 때, $a^m b^n=36$을 만족시키는 두 자연수 m, n에 대하여 $m+n$의 값을 구하시오. [6점]

20

연립부등식 $\begin{cases} \log_2|x-4|<4 \\ \log_2(x-1)+\log_2(x+3)\geq 2+\log_2 3 \end{cases}$을 만족시키는 정수 x의 개수를 구하시오. [6점]

21

▶ 유튜브 강의

어느 세라믹 재료의 열전도 계수(k)는 적절한 실험 조건에서 일정하고, 다음과 같이 계산된다고 한다.

$$k=C\frac{\log t_2-\log t_1}{T_2-T_1}$$

(단, C는 0보다 큰 상수, T_1(℃), T_2(℃)는 실험을 시작한 후 각각 t_1(초), t_2(초)일 때 세라믹 재료의 측정 온도이다.)
이 세라믹 재료의 열전도 계수를 측정하는 실험에서 실험을 시작한 후 10초일 때와 20초일 때의 측정 온도가 각각 200 ℃, 202 ℃이었다. 실험을 시작한 후 x초일 때 측정 온도가 206 ℃가 되었다고 할 때, x의 값을 구하시오. [6점]

22

▶ 유튜브 강의

$x=a+3a^{\frac{1}{3}}b^{\frac{2}{3}}$, $y=b+3a^{\frac{2}{3}}b^{\frac{1}{3}}$, $a^{\frac{2}{3}}+b^{\frac{2}{3}}=4$일 때,
$\log_2\{(x+y)^{\frac{2}{3}}+(x-y)^{\frac{2}{3}}\}$의 값을 구하시오. [8점]

23

▶ 유튜브 강의

그림과 같이 좌표평면에서 곡선 $y=|\log_3 x|$가 두 직선 $x=2$, $x=8$과 만나는 점을 각각 A, B라 하고, 이 두 점을 각각 지나면서 x축에 평행한 직선이 이 곡선과 만나는 점을 각각 C, D라 하자. 사각형 ABDC의 넓이를 구하시오. [8점]

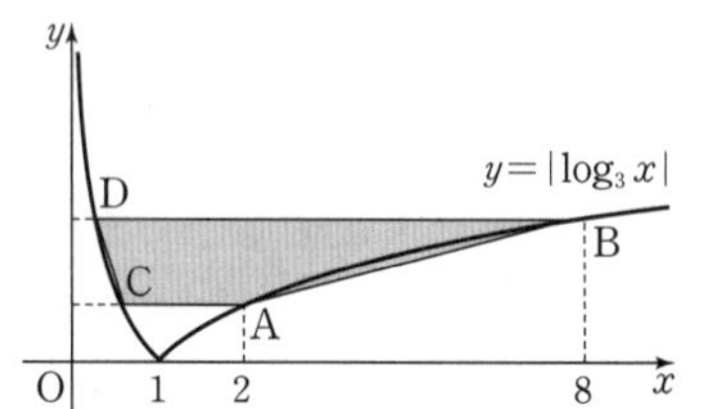

아름다운샘

20○○학년도 2학년 1학기 중간고사 (5회)

수 학 I

범위: 지수와 로그 ~ 삼각함수의 뜻

대상	2학년	고사일시	20 년 월 일	과목코드	05	시간	50분	점수	/100점

- 답안지에 필요한 인적 사항을 정확히 기입할 것.
- 객관식 문제의 답안 표기는 OMR카드에 반드시 컴퓨터용 사인펜을 사용하여 기입할 것.
- 주관식 문제의 답안 표기는 반드시 검은색 펜을 사용할 것.

객관식

01

$\log 2.38=0.3766$일 때, $\log 0.0238$의 값은? [3.3점]

① -2.6234 ② -1.6234 ③ -1.3766
④ 1.3766 ⑤ 2.3766

02

$\log_2(\log_x 16)=1$을 만족시키는 x의 값은? [3.3점]

① 1 ② $\sqrt{2}$ ③ 2
④ $2\sqrt{2}$ ⑤ 4

03

$6^{\frac{5}{3}}\times 2^{\frac{4}{3}}\times 3^{-\frac{2}{3}}$의 값은? [3.3점]

① 6 ② 12 ③ 24
④ 36 ⑤ 54

04

함수 $y=16^x$의 그래프를 x축의 방향으로 m만큼, y축의 방향으로 n만큼 평행이동하였더니 함수 $y=\frac{1}{16}\times 4^{2x}+8$의 그래프와 일치하였다. 두 상수 m, n에 대하여 $m+n$의 값은? [3.3점]

① 1 ② 3 ③ 5
④ 7 ⑤ 9

05

부등식 $4^{x+1}-9\times2^{x}+2\le0$을 만족시키는 정수 x의 개수는? [3.3점]

① 1　② 2　③ 3　④ 4　⑤ 5

06

각 θ가 제3사분면의 각일 때, 각 $\frac{\theta}{2}$를 나타내는 동경이 존재할 수 있는 사분면은? [3.3점]

① 제1, 3사분면　② 제1, 4사분면　③ 제2, 3사분면　④ 제2, 4사분면　⑤ 제3, 4사분면

07

$\frac{\pi}{2}<\theta<\pi$이고 $\sin\theta=\frac{4}{5}$일 때, $\cos\theta$의 값은? [3.7점]

① -1　② $-\frac{4}{5}$　③ $-\frac{3}{5}$　④ $-\frac{2}{5}$　⑤ $-\frac{1}{5}$

08

$2\le n\le100$인 자연수 n에 대하여 $(\sqrt[4]{2^5})^{\frac{1}{2}}$이 어떤 자연수의 n제곱근이 되도록 하는 n의 개수는? [3.7점]

① 11　② 12　③ 13　④ 14　⑤ 15

09

$2^x=\sqrt{\sqrt{3}+\sqrt{2}}+\sqrt{\sqrt{3}-\sqrt{2}}$를 만족시키는 실수 x에 대하여 $2^{2x-1}+2^{-2x+2}$의 값은? [3.7점]

① $\frac{1}{2}$ ② $\frac{\sqrt{3}}{2}$ ③ $\sqrt{3}$
④ $2\sqrt{3}$ ⑤ $4\sqrt{2}$

10

세 양수 a, b, c에 대하여 $a^6=3$, $b^5=7$, $c^2=11$일 때, $(abc)^n$이 자연수가 되도록 하는 자연수 n의 최솟값은? [3.7점]

① 10 ② 15 ③ 20
④ 25 ⑤ 30

11

$12^x=125$, $9^y=225$일 때, $3^{\frac{y-1}{x}}$의 값은? [3.7점]

① $\sqrt[3]{3}$ ② $\sqrt[3]{12}$ ③ $2\sqrt[3]{3}$
④ $3\sqrt[3]{3}$ ⑤ $2\sqrt[3]{12}$

12

$\log 2015$의 정수 부분과 소수 부분이 이차방정식 $x^2-ax+b=0$의 두 근일 때, $3a-b$의 값은?

(단, a, b는 상수이다.) [3.7점]

① 1 ② 3 ③ 6
④ 9 ⑤ 12

13

두 함수 $y=2^{ax}$, $y=\frac{a}{100}\log_2 x$의 그래프가 직선 $y=x$에 대하여 대칭일 때, 양수 a의 값은? [4점]

① 2　② 4　③ 6
④ 8　⑤ 10

14

부등식 $x^{\log_{\frac{1}{2}} x} \geq \frac{1}{16}$의 해는? [4점]

① $\frac{1}{4} \leq x \leq 4$　② $\frac{1}{2} \leq x \leq 2$　③ $1 \leq x \leq 2$
④ $1 \leq x \leq 4$　⑤ $x \geq 4$

15

방정식 $(\log_{16} x^2)^2 - 5\log_{16} x + 1 = 0$의 두 근을 α, β라 할 때, $\alpha - \beta$의 값은? (단, $\alpha > \beta$) [4점]

① 10　② 12　③ 14
④ 16　⑤ 18

16

어떤 별의 절대등급을 M, 겉보기등급을 m이라 하고 지구로부터 그 별까지의 거리를 $r(pc)$라 하면 관계식

$$M - m = 5 - 5\log r$$

가 성립한다. 절대등급이 같은 두 별 A, B에 대하여 지구로부터 A별까지의 거리가 지구로부터 B별까지의 거리의 50배일 때, A별의 겉보기등급을 a, B별의 겉보기등급을 b라 하자. $2(a-b)$의 값은? (단, $\log 2 = 0.3$으로 계산한다.) [4점]

① 14　② 15　③ 16
④ 17　⑤ 18

17

함수 $f(x)=a^x+a^{-x}$ $(a>0,\ a\neq1)$에 대한 〈보기〉의 설명 중 옳은 것만을 있는 대로 고른 것은? [4점]

보기

ㄱ. $y=f(x)$의 그래프는 y축에 대하여 대칭이다.
ㄴ. 모든 실수 x에 대하여 $f(2x)=\{f(x)\}^2-2$이다.
ㄷ. 함수 $y=f(x)$의 최솟값은 1이다.

① ㄱ　② ㄷ　③ ㄱ, ㄴ
④ ㄴ, ㄷ　⑤ ㄱ, ㄴ, ㄷ

18

그림과 같이 좌표평면 위의 단위원을 10등분하여 각 분점을 차례로 P_0, P_1, P_2, ⋯, P_9라 하자. $\angle P_0OP_1=\theta$라 할 때,

$$\sin\theta+\sin2\theta+\sin3\theta+\cdots+\sin10\theta$$

의 값은? (단, O는 원점이고, 점 P_0의 좌표는 $(1,\ 0)$이다.) [4점]

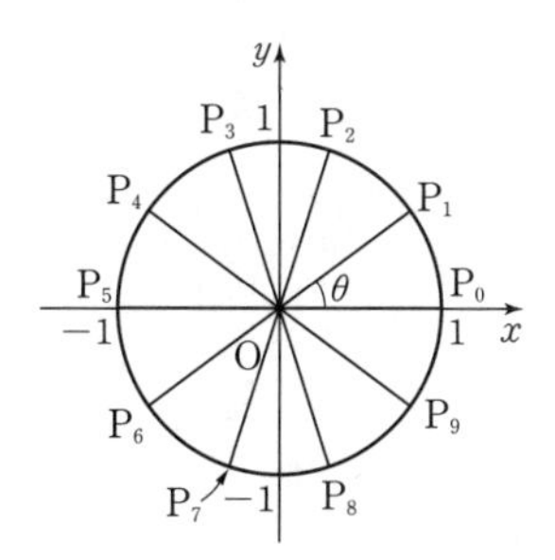

① -1　② 0　③ 1
④ 2　⑤ 3

※ 다음은 서술형 문제입니다. 서술형 답안지에 풀이 과정과 답을 정확하게 서술하시오.

서술형 주관식

19

반지름의 길이가 3, 중심각의 크기가 $\frac{2}{3}\pi$인 부채꼴이 있다. 다음 물음에 답하시오.

(1) 부채꼴의 호의 길이를 구하시오. [2점]

(2) 부채꼴의 넓이를 구하시오. [2점]

(3) 이 부채꼴로 만들어지는 원뿔의 부피를 구하시오. [2점]

20

두 실수 a, b가

$$a\log_3 2=4,\ \log_3 b=1-\log_3(\log_2 3)$$

을 만족시킬 때, ab의 값을 구하시오. [6점]

21

▶ 유튜브 강의

$\frac{1}{3} \le x \le 3$에서 함수 $f(x)=ax^{-2+\log_3 x}$의 최솟값이 3일 때, 최댓값을 구하시오. (단, a는 양수이다.) [6점]

22

▶ 유튜브 강의

어떤 물질의 시각 t에서의 농도 $M(t)$는 함수

$M(t)=ar^t+24$ (a, r는 양의 상수)

로 나타내어진다고 한다. 다음 표는 이 물질의 농도를 1분 간격으로 측정한 것이다.

t	0	1	2	3	⋯
$M(t)$	124	64	40	30.4	⋯

이 물질의 농도가 처음으로 24.001 이하가 되는 시각은 n분과 $(n+1)$분 사이이다. 자연수 n의 값을 구하시오.

(단, $\log 2=0.3010$으로 계산한다.) [8점]

23

▶ 유튜브 강의

그림과 같이 곡선 $y=a\log_2 x$ 위의 한 점 A를 지나고 x축에 평행한 직선이 곡선 $y=2^{x-b}$과 만나는 점을 B라 하자. 점 B를 지나고 y축에 평행한 직선이 곡선 $y=a\log_2 x$와 만나는 점을 D라 하고, 점 D를 지나고 x축에 평행한 직선이 곡선 $y=2^{x-b}$과 만나는 점을 C라 하자. $\overline{AB}=2$, $\overline{BD}=2$일 때, 사각형 ABCD의 넓이가 3이라고 한다. 두 상수 a, b에 대하여 $a+b$의 값을 구하시오. [8점]

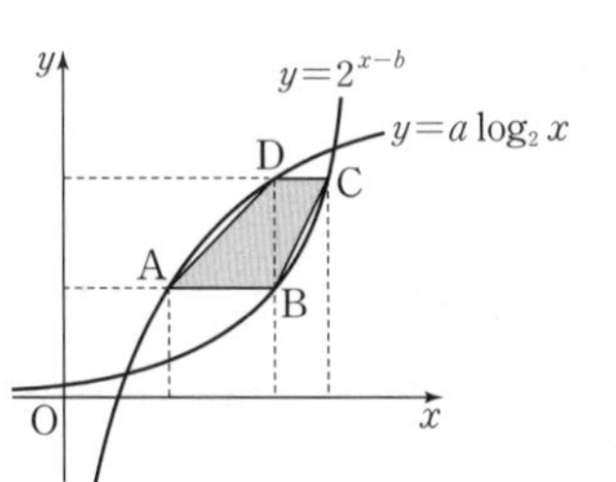

아름다운샘

20○○학년도 2학년 1학기 중간고사 (6회)

수 학 I

범위: 지수와 로그 ~ 삼각함수의 뜻

대상	2학년	고사일시	20 년 월 일	과목코드	06	시간	50분	점수	/100점

- 답안지에 필요한 인적 사항을 정확히 기입할 것.
- 객관식 문제의 답안 표기는 OMR카드에 반드시 컴퓨터용 사인펜을 사용하여 기입할 것.
- 주관식 문제의 답안 표기는 반드시 검은색 펜을 사용할 것.

객관식

01

$(2^{\frac{6}{5}})^2 \times 2^{\frac{8}{5}} \div (2^2)^{\frac{1}{2}}$의 값은? [3.3점]

① 2 ② 4 ③ 8
④ 16 ⑤ 32

02

방정식 $\left(\frac{1}{2}\right)^{-3x} = 2^{x^2-4}$의 두 근을 α, β라 할 때 $\alpha\beta$의 값은? [3.3점]

① -4 ② -2 ③ 0
④ 2 ⑤ 4

03

방정식 $\log_{\frac{1}{2}}(\log_5(\log_3 x)) = 0$을 만족시키는 정수 x의 값은? (단, $x > 2$) [3.3점]

① 64 ② 81 ③ 128
④ 243 ⑤ 729

04

실수 a에 대하여 a의 n제곱근 중에서 실수인 것의 개수를 $f(a,\ n)$으로 나타낼 때,

$$f(5,\ 5) + f(9,\ 4) + f(-5,\ 3) + f(-9,\ 4)$$

의 값은? [3.3점]

① 2 ② 3 ③ 4
④ 5 ⑤ 6

05

다음 조건을 만족시키는 θ는 제몇 사분면의 각인가? [3.3점]

(가) $\sin\theta\cos\theta<0$　　(나) $\cos\theta\tan\theta>0$

① 제1사분면　② 제2사분면　③ 제3사분면
④ 제4사분면　⑤ 제2, 4사분면

06

세 수 $A=\sqrt[6]{100}$, $B=\sqrt{5}$, $C=\sqrt[3]{\sqrt{30}}$의 대소 관계를 바르게 나타낸 것은? [3.3점]

① $A<B<C$　② $A<C<B$　③ $B<A<C$
④ $B<C<A$　⑤ $C<A<B$

07

$\log 3=0.4771$일 때, 3^{20}은 몇 자리의 정수인가? [3.7점]

① 8자리　② 9자리　③ 10자리
④ 11자리　⑤ 12자리

08

함수 $f(x)=\log_3(x-2)+1$에 대하여 〈보기〉에서 옳은 것만을 있는 대로 고른 것은? [3.7점]

보기

ㄱ. 정의역은 실수 전체의 집합이다.
ㄴ. $x_1<x_2$이면 $f(x_1)<f(x_2)$이다.
ㄷ. 그래프의 점근선의 방정식은 $x=2$이다.

① ㄱ　② ㄴ　③ ㄷ
④ ㄴ, ㄷ　⑤ ㄱ, ㄴ, ㄷ

09

$0<\theta<2\pi$인 각 θ에 대하여 각 θ를 나타내는 동경과 각 3θ를 나타내는 동경이 x축에 대하여 대칭이 되는 모든 θ의 크기의 합은? [3.7점]

① π ② 2π ③ 3π
④ 4π ⑤ 5π

10

두 실수 a, b에 대하여
$3^{a+b}=8$, $2^{a-b}=3$일 때, $9^{a^2-b^2}$의 값은? [3.7점]

① 9 ② 27 ③ 81
④ 243 ⑤ 729

11

1이 아닌 세 양수 a, b, c에 대하여 $a=b^2=c^3$이 성립할 때, $\log_a b+\log_b c+\log_c a$의 값은? [3.7점]

① $\frac{23}{6}$ ② $\frac{25}{6}$ ③ $\frac{9}{2}$
④ $\frac{29}{6}$ ⑤ $\frac{31}{6}$

12

$-1\leq x\leq 2$에서 정의된 함수 $y=4^x-2^{x+2}+7$의 최댓값을 M, 최솟값을 m이라 할 때, $M-m$의 값은? [3.7점]

① 4 ② 5 ③ 6
④ 7 ⑤ 8

13

$\log x$의 정수 부분이 6이고, $\log y$의 정수 부분이 4일 때, $\log\sqrt{xy}$의 정수 부분의 값은? [4점]

① 3 ② 4 ③ 5
④ 6 ⑤ 7

14

$\sin x+\cos x=1$일 때, $\sin^{100}x+\cos^{100}x$의 값은? [4점]

① $\frac{1}{2}$ ② $\frac{5}{8}$ ③ $\frac{3}{4}$
④ $\frac{7}{8}$ ⑤ 1

15

어떤 종을 100 dB(데시벨)의 크기로 타종한 후 t초가 지났을 때 소리의 크기를 $f(t)$ dB이라 하면 관계식

$f(t)=100a^{-\frac{t}{5}}$ (a는 상수)

이 성립한다고 한다. 이 종을 100 dB의 크기로 타종한 후 5초가 지났을 때 소리의 크기는 이 종을 100 dB의 크기로 타종한 후 10초가 지났을 때 소리의 크기의 몇 배인가? [4점]

① a배 ② $2a$배 ③ $5a$배
④ a^2배 ⑤ a^5배

16

유튜브 강의

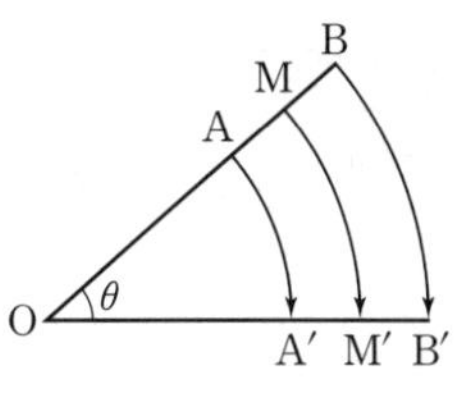

그림과 같이 선분 OB 위의 점 A에 대하여 $\overline{AB}=4$일 때, 선분 OB를 점 O를 중심으로 시계 방향으로 θ만큼 회전한다. 선분 AB의 중점 M이 움직인 호의 길이를 l이라 할 때, 선분 AB가 지나가는 부분의 넓이를 l로 나타낸 것은? [4점]

① $\frac{4}{3}l$ ② $2l$ ③ $\frac{8}{3}l$
④ $4l$ ⑤ $6l$

17

그림과 같이 함수 $y=2^x$의 그래프의 제1사분면 위의 점 $\mathrm{A}(a,\ b)$에서 y축에 평행한 직선을 그어 함수 $y=4^x$의 그래프와 만나는 점을 B라 하자. $\overline{\mathrm{AB}}=56$이 되도록 하는 양의 정수 a의 값은? [4점]

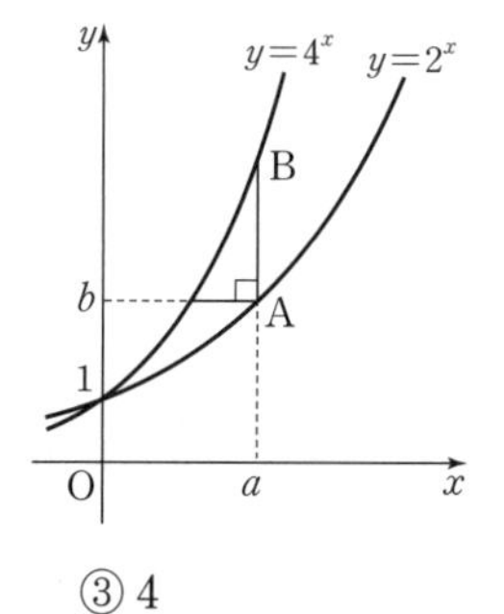

① 2 ② 3 ③ 4
④ 5 ⑤ 6

18

▶ 유튜브 강의

지수함수 $y=\left(\frac{1}{3}\right)^x$의 그래프가 두 로그함수 $y=\log_{\frac{1}{2}} x$, $y=\log_2 x$의 그래프와 만나는 점을 각각 $\mathrm{A}(x_1,\ y_1)$, $\mathrm{B}(x_2,\ y_2)$라 할 때, 옳은 것만을 〈보기〉에서 있는 대로 고른 것은? [4점]

보기

ㄱ. $x_1>y_1$
ㄴ. $x_1y_2<x_2y_1$
ㄷ. $x_2y_1-x_1y_2<y_1$

① ㄱ ② ㄴ ③ ㄱ, ㄴ
④ ㄴ, ㄷ ⑤ ㄱ, ㄴ, ㄷ

※ 다음은 서술형 문제입니다. 서술형 답안지에 풀이 과정과 답을 정확하게 서술하시오.

서술형 주관식

19

$2^{\log_2 4}\times 8^{\frac{2}{3}}$의 값을 구하시오. [6점]

20

▶ 유튜브 강의

함수 $y=2^{x-1}+3$의 점근선과 함수 $y=\log_2(4x-20)$의 점근선의 교점의 좌표를 $(a,\ b)$라 할 때, $a+b$의 값을 구하시오.

[6점]

21

용액 1L 속에 존재하는 수소 이온의 몰(mol) 수를 기호 $[H^+]$로 나타내고 수소 이온 지수를 나타내는 pH는 $pH=\log_{10}\frac{1}{[H^+]}$로 정의한다. 이때, 수소 이온의 몰수가 10 % 증가하면 pH는 얼마만큼 감소하는지 구하시오. [6점]

22

유튜브 강의

세 양수 a, b, c에 대하여

$\log_2 ab+\log_2 bc=4$,

$\log_2 bc+\log_2 ca=5$,

$\log_2 ca+\log_2 ab=7$

일 때, $a+b+c$의 값을 구하시오. [8점]

23

유튜브 강의

다음 조건을 만족시키는 두 양수 x, y에 대하여 점 (x, y)를 좌표평면 위에 나타냈을 때, x, y가 모두 정수인 점의 개수를 구하시오. [8점]

(가) $|\log_{\frac{1}{2}}(x+y)+1|=1$

(나) $|\log_2 x|+|\log_2 y|=|\log_2 xy|$

20○○학년도 2학년 1학기 중간고사 (7회)

범위: 지수와 로그 ~ 삼각함수의 뜻

대상	2학년	고사일시	20 년 월 일	과목코드	07	시간	50분	점수	/100점

- 답안지에 필요한 인적 사항을 정확히 기입할 것.
- 객관식 문제의 답안 표기는 OMR카드에 반드시 컴퓨터용 사인펜을 사용하여 기입할 것.
- 주관식 문제의 답안 표기는 반드시 검은색 펜을 사용할 것.

객관식

01

$\log_{x+1}(3-x)$가 정의되도록 하는 정수 x의 개수는? [3.3점]

① 1 ② 2 ③ 3
④ 4 ⑤ 5

02

$\sqrt[4]{(-3)^4}+\sqrt[5]{-32}+\sqrt[5]{9}\sqrt[5]{27}+\sqrt[3]{\sqrt{64}}$를 간단히 하면? [3.3점]

① 2 ② 3 ③ 4
④ 6 ⑤ 8

03

로그함수 $f(x)=\log_a x\ (a>1)$의 그래프가 그림과 같을 때, $a+b$의 값은? [3.3점]

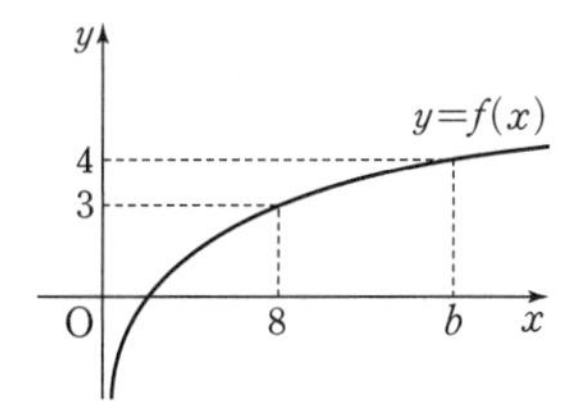

① 16 ② 17
③ 18 ④ 19
⑤ 20

04

원점 O와 점 P$(-4, 3)$에 대하여 동경 OP가 나타내는 각의 크기를 θ라 할 때, $5\cos\theta+4\tan\theta$의 값은? [3.3점]

① -9 ② -7 ③ -5
④ 5 ⑤ 7

05

27의 세제곱근 중 실수인 것을 a, -8의 세제곱근 중 실수인 것을 b라 하면 $a+b$가 실수 x의 세제곱근일 때, x의 값은? [3.3점]

① -4 ② -2 ③ -1
④ 1 ⑤ 2

06

$a>1$, $b>1$일 때, $(\log_2 a+2\log_4 b)\log_{\sqrt{ab}}8$의 값은? [3.3점]

① 6 ② 8 ③ 12
④ 16 ⑤ 24

07

$\log 4.41=0.6444$일 때, 〈보기〉에서 옳은 것만을 있는 대로 고른 것은? [3.7점]

보기
ㄱ. $\log 441$의 정수 부분은 2이다.
ㄴ. $\log 44100$의 소수 부분과 $\log 4.41$의 소수 부분은 같다.
ㄷ. $\log 0.000441$의 값은 -4.6444이다.

① ㄱ ② ㄴ ③ ㄱ, ㄴ
④ ㄱ, ㄷ ⑤ ㄱ, ㄴ, ㄷ

08

함수 $y=\frac{1}{16}\times 2^x+6$의 그래프는 함수 $y=2^x$의 그래프를 x축의 방향으로 m만큼, y축의 방향으로 n만큼 평행이동한 것이다. mn의 값은? [3.7점]

① 16 ② 18 ③ 20
④ 22 ⑤ 24

09

두 함수 $f(x)=2x-1$, $g(x)=\log_2 x$에 대하여 $(f \circ g)^{-1}(1)$의 값은? [3.7점]

① 1 ② 2 ③ 3
④ 4 ⑤ 5

10

$0 \leq x \leq 4$에서 함수 $f(x)=\log_{\frac{1}{2}}(-x^2+2x+7)$의 최솟값은? [3.7점]

① -6 ② -5 ③ -4
④ -3 ⑤ -2

11

방정식 $a^{2x}-10a^x+16=0$의 두 실근의 합이 4일 때, 양수 a의 값은? [3.7점]

① $\frac{1}{4}$ ② $\frac{1}{2}$ ③ 2
④ 3 ⑤ 4

12

연립부등식 $\begin{cases} (\log_2 x)^2-\log_2 x^2<3 \\ 2^x-2^{5-x}\leq 4 \end{cases}$ 를 만족시키는 모든 정수 x의 값의 합은? [3.7점]

① 3 ② 4 ③ 5
④ 6 ⑤ 7

13

$512^{\frac{1}{8}}$의 세제곱근 중 실수인 것을 x라 할 때, x^n이 1000 이하의 자연수가 되도록 하는 모든 자연수 n의 값의 합은? [4점]

① 48 ② 56 ③ 64
④ 72 ⑤ 80

14

어느 회사에서 두 방음자재 A, B를 개발하였다. 방음자재를 통과하기 전 음파의 세기를 a, 방음자재를 통과한 후 음파의 세기를 b, 그 방음자재의 음파감쇄율을 p라 할 때, 다음과 같은 식이 성립한다.

$$p=k\log\frac{b}{a}\ (\text{단, } k\text{는 상수})$$

두 방음자재 A, B의 음파감쇄율은 각각 -4, -12이고 방음자재 A를 통과한 음파의 세기가 통과하기 전 음파의 세기의 $\frac{\sqrt{10}}{10}$배가 되었다고 할 때, 방음자재 B를 통과한 음파의 세기는 통과하기 전 음파의 세기의 몇 배가 되는가? [4점]

① $\frac{1}{10}$배 ② $\frac{\sqrt{10}}{100}$배 ③ $\frac{1}{50}$배
④ $\frac{1}{100}$배 ⑤ $\frac{\sqrt{10}}{1000}$배

15

0이 아닌 세 실수 a, b, c에 대하여

$$a+b+c=0,\ 3^a=x,\ 3^b=y,\ 3^c=z$$

일 때, $\log_x yz+\log_y zx+\log_z xy$의 값은? [4점]

① -3 ② -1 ③ 0
④ 1 ⑤ 3

16

유튜브 강의

길이가 16인 끈을 사용하여 넓이가 12 이상이 되는 부채꼴을 만들려고 한다. 가능한 중심각의 최댓값은? [4점]

① 2 ② 3 ③ 4
④ 5 ⑤ 6

17

다음은 발전기 A의 성능에 대한 보고서이다.

> 발전기 A는 가동을 시작한 직후 3시간 동안의 예열 단계를 거치는데, 이 동안 소비되는 연료의 양은 a이다. 가동 후 3시간이 지난 시점부터 발전을 시작하고, 이 발전 단계에서 매 3시간 동안 소비되는 연료의 양은 가동 후 그 이전까지 소비한 연료의 양과 같다.

이 발전기 A를 18시간 동안 가동하였을 때, 발전 단계에서 소비된 총 연료의 양을 b라 한다. 다음 중 그 값이 5와 같은 것은? [4점]

① $\log_2 \frac{b}{a}$　② $\log_3 \frac{b}{a}$　③ $\log_2 \left(\frac{b}{a}+1\right)$
④ $\log_3 \left(\frac{b}{a}+1\right)$　⑤ $1+\log_2 \frac{b}{a}$

18

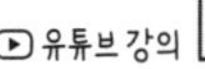

집합 $A=\left\{(x, y) \,\middle|\, y=\left(\frac{1}{2}\right)^x, x\text{는 실수}\right\}$에 대하여 〈보기〉에서 옳은 것만을 있는 대로 고른 것은? [4점]

보기

ㄱ. $(a, b)\in A$이면 $\left(a+1, \frac{b}{2}\right)\in A$
ㄴ. $(a, b)\in A$이면 $(2a, 2b)\in A$
ㄷ. $(a, b)\in A$이면 $(-2a, \sqrt{b})\in A$

① ㄱ　② ㄴ　③ ㄷ
④ ㄱ, ㄴ　⑤ ㄱ, ㄷ

※ 다음은 서술형 문제입니다. 서술형 답안지에 풀이 과정과 답을 정확하게 서술하시오.

서술형 주관식

19

$\log 2=0.30$, $\log 3=0.48$일 때, $\log_4 \sqrt{6}$의 값을 구하시오. [6점]

20

부등식 $9^x-10\times 3^{x+1}+81<0$의 해가 $\alpha<x<\beta$일 때, $\alpha\beta$의 값을 구하시오. [6점]

21

▶유튜브 강의

$a>0$이고 $\dfrac{a^x-2a^{-x}}{a^x+2a^{-x}}=\dfrac{1}{3}$일 때, $(a^{2x}+a^{-2x})^{\frac{1}{2}}$의 값을 구하시오. [6점]

22

▶유튜브 강의

두 이차함수 $y=f(x)$와 $y=g(x)$의 그래프가 그림과 같고,

$f(a)=g(a)=f(c)=g(e)=0,$

$f(0)=g(b)=f(d)=g(d)=1$

이다.

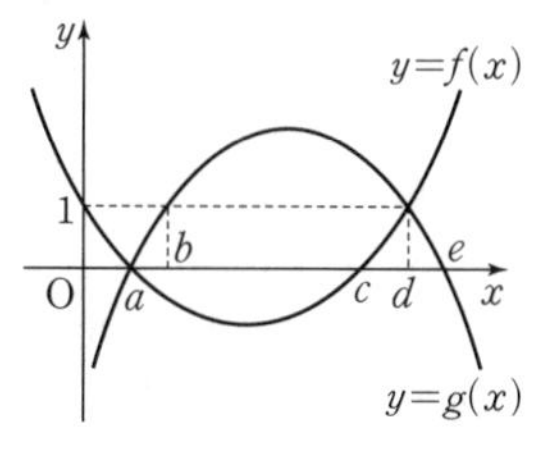

연립부등식 $\begin{cases} 2^{f(x)}<2 \\ 2^{f(x)}>2^{g(x)} \end{cases}$ 의 해를 구하시오. [8점]

23

▶유튜브 강의

$0<\theta<2\pi$인 각 θ에 대하여 각 3θ를 나타내는 동경과 각 5θ를 나타내는 동경이 x축에 대하여 대칭일 때, 이를 만족시키는 θ를 크기순으로 θ_1, θ_2, $\cdots$, θ_n이라 하자. $\sin^2\theta_1+\sin^2\theta_2$의 값을 구하시오. [8점]

20○○학년도 2학년 1학기 중간고사 (8회)

수 학 Ⅰ

범위: 지수와 로그 ~ 삼각함수의 뜻

대상	2학년	고사일시	20 년 월 일	과목코드	08	시간	50분	점수	/100점

• 답안지에 필요한 인적 사항을 정확히 기입할 것.
• 객관식 문제의 답안 표기는 OMR카드에 반드시 컴퓨터용 사인펜을 사용하여 기입할 것.
• 주관식 문제의 답안 표기는 반드시 검은색 펜을 사용할 것.

객관식

01

다음 중 동경이 나머지와 다른 사분면에 속하는 각의 크기는? [3.3점]

① 200° ② 1020° ③ -150°
④ -460° ⑤ -530°

02

$9^{\frac{5}{4}}\times32^{\frac{7}{10}}\div\sqrt{216}$을 간단히 하면? [3.3점]

① 6 ② 12 ③ 24
④ 42 ⑤ 54

03

다음 중 함수 $y=\log_a x$ $(a>0,\ a\neq1)$에 대한 설명으로 옳지 않은 것은? [3.3점]

① 그래프는 점 $(1,\ 0)$을 지난다.
② 점근선의 방정식은 $x=0$이다.
③ $a>1$일 때, x의 값이 감소하면 y의 값도 감소한다.
④ 그래프는 함수 $y=-\log_a x$의 그래프와 y축에 대하여 대칭이다.
⑤ 그래프는 함수 $y=a^x$ $(a>0,\ a\neq1)$의 그래프와 직선 $y=x$에 대하여 대칭이다.

04

방정식 $9^x-12\times3^x+27=0$의 두 근을 α, β라 할 때, $\alpha+\beta$의 값은? [3.3점]

① -5 ② -3 ③ -1
④ 1 ⑤ 3

05

다음 〈보기〉에서 옳은 것만을 있는 대로 고른 것은? [3.3점]

보기

ㄱ. 3의 다섯제곱근 중 실수인 것은 $\sqrt[5]{3}$이다.
ㄴ. 실수 a의 네제곱근 중 실수인 것은 $\sqrt[4]{a}$, $-\sqrt[4]{a}$이다.
ㄷ. 실수 a의 세제곱근은 모두 집합 $\{x \mid x^3=a,\ x$는 복소수$\}$의 원소이다.

① ㄱ ② ㄴ ③ ㄱ, ㄷ
④ ㄴ, ㄷ ⑤ ㄱ, ㄴ, ㄷ

06

$x^a=y^b=xy$인 관계가 성립할 때, $\frac{2(a+b)}{ab}$의 값은?

(단, x, y는 1이 아닌 양수, $xy \neq 1$) [3.3점]

① $\frac{1}{3}$ ② $\frac{1}{2}$ ③ 1
④ $\frac{3}{2}$ ⑤ 2

07

$\log a^2=1.2424$일 때, $\log a^3+\log \sqrt{a}$의 값은? [3.7점]

① 2.1742 ② 2.1854 ③ 2.1932
④ 2.2123 ⑤ 2.2322

08

모든 실수 x에 대하여 $\log_{(k-2)^2}(kx^2+kx+2)$가 정의되기 위한 정수 k의 개수는? [3.7점]

① 1 ② 3 ③ 5
④ 7 ⑤ 9

09

세 수 $A=\log_8 16$, $B=\log_4 8$, $C=\log_2 3$의 대소 관계를 바르게 나타낸 것은? [3.7점]

① $A<B<C$ ② $A<C<B$ ③ $B<C<A$
④ $C<A<B$ ⑤ $C<B<A$

10

함수 $f(x)=\log_6 x$의 역함수 $y=g(x)$에 대하여
$g(\alpha)=\frac{1}{3}$, $g(\beta)=\frac{1}{2}$일 때, $g(2\alpha+2\beta)$의 값은? [3.7점]

① $\frac{1}{36}$ ② $\frac{1}{12}$ ③ $\frac{1}{9}$
④ $\frac{1}{6}$ ⑤ $\frac{1}{3}$

11

$\sin\theta+\cos\theta=\frac{4}{3}$일 때, $\sin^3\theta+\cos^3\theta$의 값은? [3.7점]

① $\frac{19}{27}$ ② $\frac{20}{27}$ ③ $\frac{7}{9}$
④ $\frac{22}{27}$ ⑤ $\frac{23}{27}$

12

둘레의 길이가 40인 부채꼴의 최대 넓이는? [3.7점]

① 80 ② 90 ③ 100
④ 110 ⑤ 120

13

그림과 같이 직선 $y=4$가 y축과 만나는 점을 B, 점 A를 지나는 두 지수함수 $y=2^x$, $y=a^x$의 그래프와 만나는 점을 각각 C, D라 하자.
$\overline{BC}:\overline{CD}=2:1$일 때, 상수 a의 값은? (단, $1<a<2$) [4점]

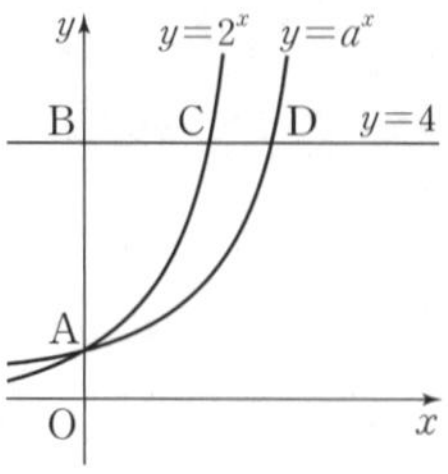

① $\sqrt[4]{2}$ ② $\sqrt[3]{2}$ ③ $\sqrt[4]{3}$
④ $\sqrt[3]{4}$ ⑤ $\sqrt[4]{8}$

14

방정식 $\log_3 x^{\log_3 x}-\log_3 x^2-3=0$의 두 근을 α, β라 할 때, $\alpha\beta$의 값은? [4점]

① $\frac{1}{27}$ ② $\frac{1}{9}$ ③ 1
④ 9 ⑤ 27

15

$1<x<1000$에서 $\log x$의 소수 부분과 $\log\sqrt{x}$의 소수 부분이 같을 때, x의 값은? [4점]

① 20 ② 40 ③ 60
④ 80 ⑤ 100

16

▶ 유튜브 강의

어느 도시의 도심지역의 평균기온 d (℃), 외곽지역의 평균기온 r (℃), 도심지역의 넓이 a (km) 사이에는 다음과 같은 관계가 있다.

$$d=r+0.05+1.6\log a$$

이 도시의 도심지역의 넓이가 매년 4 %씩 확장되고, 외곽지역의 평균기온은 변하지 않는다고 할 때, 도심지역의 평균기온이 1℃ 상승하는 데 몇 년이 걸리겠는가? (단, 도심지역의 중심의 위치는 항상 같고, $\log 2=0.30$, $\log 13=1.11$로 계산한다.) [4점]

① 61.5년 ② 62년 ③ 62.5년
④ 63년 ⑤ 63.5년

17

유튜브 강의

두 수 $\sqrt[3]{\frac{n}{3}}$, $\sqrt[5]{\frac{n}{5}}$ 이 모두 자연수가 되도록 하는 최소의 정수 n을 $n=3^a\times5^b$ (a, b는 자연수) 꼴로 나타낼 때, $a+b$의 값은? [4점]

① 16 ② 17 ③ 18
④ 19 ⑤ 20

18

유튜브 강의

전체집합 $U=\{x|x$는 실수$\}$에 대하여 두 조건 $p(x)$, $q(x)$가 다음과 같다.

> $p(x)$: $\left(\frac{1}{9}\right)^{x^2-ax}>\left(\frac{1}{3}\right)^{x^2+2x}$
> $q(x)$: $(2^x-8)(2^x-32)<0$

$p(x)$는 $q(x)$이기 위한 필요조건일 때, 양수 a의 최솟값은? [4점]

① 1 ② $\frac{3}{2}$ ③ 2
④ $\frac{5}{2}$ ⑤ 3

※ 다음은 서술형 문제입니다. 서술형 답안지에 풀이 과정과 답을 정확하게 서술하시오.

서술형 주관식

19

부등식 $\log_{\frac{1}{3}}(x-1)>\log_3(3-x)$를 만족시키는 실수 x의 값의 범위를 구하시오. [6점]

20

두 함수 $f(x)=3^x$, $g(x)=x^2+2x+4$에 대하여 함수 $y=(f\circ g)(x)$는 $x=a$일 때, 최솟값 m을 갖는다고 한다. $a+m$의 값을 구하시오. [6점]

21

▶유튜브 강의

x에 대한 이차방정식 $x^2-5x+3=0$의 두 근을 α, β라 할 때, $\log_2(\alpha+\beta^{-1})+\log_2(\beta+\alpha^{-1})+\log_2\alpha\beta$의 값을 구하시오. [6점]

22

어떤 방사능 물질은 일정한 비율로 붕괴되어 n년 후 남는 방사능 물질의 양 y에 대하여

$$y=y_0\left(\frac{1}{2}\right)^{kn}\ (y_0\text{는 초기 방사능 물질의 양, }k\text{는 상수})$$

이 성립한다고 한다. 10년 후 방사능 물질의 양이 초기 방사능 물질의 양의 $\frac{9}{10}$가 된다고 할 때, 방사능 물질의 양이 초기 방사능 물질의 양의 $\frac{1}{10}$이 되는 것은 몇 년 후인지 구하시오.

(단, $\log 3=0.48$로 계산한다.) [8점]

23

▶유튜브 강의

그림과 같이 함수 $y=\log_2(x-1)$과 그 역함수 $y=g(x)$에 대하여 함수 $y=\log_2(x-1)$의 그래프가 x축과 만나는 점을 $A_1(a, 0)$, 점 A_1을 지나고 y축에 평행한 직선이 함수 $y=g(x)$의 그래프와 만나는 점을 $A_2(a, b)$라 하자. 점 A_2를 지나고 x축에 평행한 직선이 함수 $y=\log_2(x-1)$의 그래프와 만나는 점을 $A_3(c, b)$, 점 A_3을 지나고 y축에 평행한 직선이 함수 $y=g(x)$의 그래프와 만나는 점을 $A_4(c, d)$라 하자.
$\log_{(b-1)}(c-1)(d-1)$의 값을 구하시오. [8점]

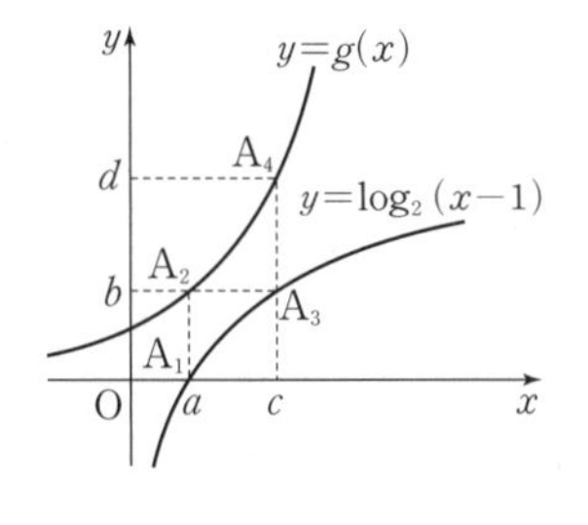

20○○학년도 2학년 1학기 중간고사 (9회)

수 학 I

범위: 지수와 로그 ~ 삼각함수의 뜻

대상	2학년	고사일시	20 년 월 일	과목코드	09	시간	50분	점수	/100점

- 답안지에 필요한 인적 사항을 정확히 기입할 것.
- 객관식 문제의 답안 표기는 OMR카드에 반드시 컴퓨터용 사인펜을 사용하여 기입할 것.
- 주관식 문제의 답안 표기는 반드시 검은색 펜을 사용할 것.

객관식

01

다음 중 옳지 않은 것은? [3.3점]

① $15^\circ=\frac{\pi}{12}$　② $120^\circ=\frac{2}{3}\pi$　③ $180^\circ=\pi$
④ $210^\circ=\frac{4}{3}\pi$　⑤ $330^\circ=\frac{11}{6}\pi$

02

부등식 $\left(\frac{1}{3}\right)^{x^2}>\left(\frac{1}{9}\right)^{x+4}$을 만족시키는 정수 x의 개수는? [3.3점]

① 1　② 2　③ 3
④ 4　⑤ 5

03

$a>0$, $b>0$일 때, $\sqrt[12]{2a^3b^4}\times\sqrt[4]{2ab^2}\div\sqrt[6]{4a^2b}$를 간단히 하면? [3.3점]

① $\sqrt{ab^3}$　② $\sqrt[3]{a^2b^2}$　③ $\sqrt[4]{a^3b}$
④ $\sqrt[6]{ab^4}$　⑤ $\sqrt[12]{a^2b^7}$

04

세 수 $A=\sqrt[3]{3\sqrt{2}}$, $B=\sqrt[3]{2\sqrt{3}}$, $C=\sqrt{2\sqrt[3]{2}}$의 대소 관계를 바르게 나타낸 것은? [3.3점]

① $A<B<C$　② $A<C<B$　③ $B<A<C$
④ $B<C<A$　⑤ $C<A<B$

05

$\log 2=a$, $\log 3=b$라 할 때, $\log_{12} 18$을 a, b로 나타내면? [3.3점]

① $\frac{a+2b}{a+b}$ ② $\frac{2a+b}{a+2b}$ ③ $\frac{2a+2b}{a+2b}$

④ $\frac{a+2b}{2a+b}$ ⑤ $\frac{2a+b}{a+b}$

06

부등식 $(\log_2 x)^2 \le \log_2 \frac{4}{x}$를 만족시키는 정수 x의 개수는? [3.3점]

① 1 ② 2 ③ 3

④ 4 ⑤ 5

07

실수 a에 대하여 a의 n제곱근 중 실수인 것의 개수를 $g(a, n)$이라 하자. 예를 들어, 16의 네제곱근 중 실수인 것은 2와 -2의 두 개이므로 $g(16, 4)=2$이다.
$g(-1, 2)+g(-2, 3)+g(-3, 4)+\cdots+g(-99, 100)$의 값은? [3.7점]

① 49 ② 50 ③ 148

④ 149 ⑤ 198

08

어떤 전자레인지로 피자 n조각을 굽는 데 걸리는 시간 t(분)는

$$t=1.2\times n^{0.5}$$

이라고 한다. 이 전자레인지로 피자 8조각을 굽는 데 걸리는 시간은 피자 2조각을 굽는 데 걸리는 시간의 몇 배인가? [3.7점]

① 1배 ② $\sqrt{2}$배 ③ 2배

④ $2\sqrt{2}$배 ⑤ 4배

09

0이 아닌 세 실수 a, b, c가 $\frac{a+b}{4}=\frac{b+c}{7}=\frac{c+a}{9}$를 만족시킬 때, $(2^a \times 2^b)^{\frac{1}{c}}$의 값은? [3.7점]

① $\sqrt[4]{2}$ ② $\sqrt[3]{2}$ ③ $\sqrt[3]{4}$
④ $2\sqrt{2}$ ⑤ 4

10

함수 $f(x)=a^x$ $(a>0,\ a\neq 1)$에 대하여 〈보기〉에서 옳은 것만을 있는 대로 고른 것은? [3.7점]

보기

ㄱ. $f(x+y)=f(x)f(y)$
ㄴ. $f(x-y)=\frac{f(x)}{f(y)}$
ㄷ. $\{f(x)\}^n=f(nx)$

① ㄱ ② ㄴ ③ ㄱ, ㄴ
④ ㄴ, ㄷ ⑤ ㄱ, ㄴ, ㄷ

11

$a=\frac{\log_5 36+2\log_5 2}{\log_{25} 10000}$일 때, 10^{2a}의 값은? [3.7점]

① 72 ② 81 ③ 100
④ 121 ⑤ 144

12

$\log_4\{\log_3(\log_2 x)\}=1$을 만족시키는 x는 몇 자리 정수인가?
(단, $\log 2=0.3010$으로 계산한다.) [3.7점]

① 21자리 ② 22자리 ③ 23자리
④ 24자리 ⑤ 25자리

13

다음은 a, b가 1이 아닌 양의 실수일 때,

$$\log_a b=\log_b a\text{이면 } \frac{a^2+1}{b^2+1}=\frac{a}{b}$$

가 성립함을 증명한 것이다.

증명

$\log_b a=\dfrac{1}{\boxed{(가)}}$이고, 가정에서 $\log_a b=\log_b a$이므로

$\log_a b=1$ 또는 $\log_a b=-1$이다.

(i) $\log_a b=1$일 때, $\dfrac{a^2+1}{b^2+1}=\boxed{(나)}$이고 $\dfrac{a}{b}=\boxed{(나)}$이다.

(ii) $\log_a b=-1$일 때, $\dfrac{a^2+1}{b^2+1}=\boxed{(다)}$이고 $\dfrac{a}{b}=\boxed{(다)}$이다.

(i), (ii)에 의하여 $\dfrac{a^2+1}{b^2+1}=\dfrac{a}{b}$가 성립한다.

위의 증명에서 (가), (나), (다)에 알맞은 것은? [4점]

	(가)	(나)	(다)
①	$\log_a b$	-1	b^2
②	$\log_b \frac{1}{a}$	-1	ab
③	$\log_a b$	1	a^2
④	$\log_b \frac{1}{a}$	-1	a^2
⑤	$\log_a b$	1	b^2

14

$\dfrac{(\log_{10}2)^3+(\log_{10}5)^3-1}{(\log_{10}2)^2+(\log_{10}5)^2-1}$의 값은? [4점]

① $\frac{1}{2}$　② 1　③ $\frac{3}{2}$　④ 2　⑤ $\frac{5}{2}$

15

다음은 행성의 밝기에 대한 기사이다.

> 2003년 5월 초의 다섯 행성은 높게 뜨는 쪽부터 목성, 토성, 화성, 금성, 수성의 순으로 서쪽 하늘에 위치합니다. 목성은 8시경에도 고도 45도 정도로 높게 떠있으면서 -2등급으로 빛납니다. 토성과 화성은 나란히 붙어 있으며 토성이 0등급, 화성은 1.5등급 정도로 화성은 다른 네 행성에 비해서는 상당히 어둡게 빛납니다.

두 행성의 밝기가 L_1, L_2일 때, 그 등급을 각각 m_1, m_2라 하면

$$m_1-m_2=-2.5\log_{10}\frac{L_1}{L_2}$$

인 관계가 성립한다. 위의 기사에서 -2등급인 목성은 1.5등급인 화성보다 몇 배 밝은가? (단, $10^{\frac{2}{5}}=2.5$로 계산한다.) [4점]

① 20배　② 25배　③ 30배　④ 40배　⑤ 50배

16

▶ 유튜브 강의

$3\le x\le 81$에서 함수 $y=x^{4-\log_3 x}$의 최댓값을 a, 최솟값을 b라 할 때, $\log_3 b\le n\le \log_3 a$를 만족시키는 정수 n의 개수는? [4점]

① 4　② 5　③ 6　④ 7　⑤ 8

17

방정식

$$\log(3-x)-\log(5-2y)=\log(4-x)-\log(6-y)$$

를 만족시키는 두 정수 x, y에 대하여 $x+y$의 값은? [4점]

① -2　② -1　③ 0　④ 1　⑤ 2

18

유튜브 강의

그림과 같이 원 $x^2+y^2=4$와 직선 $y=-2x$가 제2사분면에서 만나는 점을 P라 하자. $\overline{\mathrm{OP}}$가 x축의 양의 방향과 이루는 각의 크기를 θ라 할 때, $\dfrac{1}{\sin\theta\cos\theta}$의 값은? [4점]

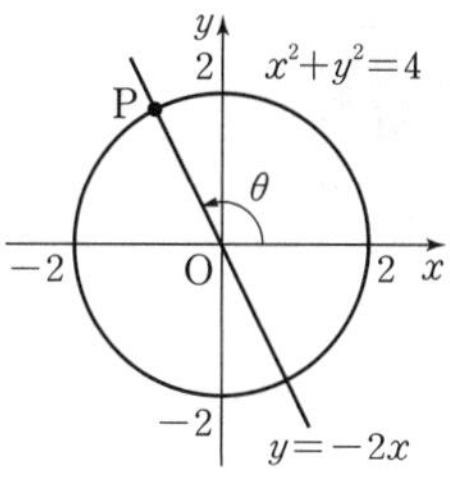

① $-\dfrac{5}{2}$　② $-\dfrac{3}{2}$　③ $-\dfrac{1}{2}$　④ $\dfrac{3}{2}$　⑤ $\dfrac{5}{2}$

※ 다음은 서술형 문제입니다. 서술형 답안지에 풀이 과정과 답을 정확하게 서술하시오.

서술형 주관식

19

반지름의 길이가 4인 부채꼴의 둘레의 길이가 4π일 때, 이 부채꼴의 넓이 S와 중심각의 크기 θ를 각각 구하시오. [6점]

20

함수 $y=2^x$의 그래프를 x축, y축의 방향으로 각각 α, β만큼 평행이동한 후 직선 $y=x$에 대하여 대칭이동한 함수 $y=f(x)$의 그래프가 직선 $x=3$을 점근선으로 하고 $f(11)=6$이다. $f(35)$의 값을 구하시오. [6점]

21

이차방정식 $x^2-x+a=0$의 두 근이 $\sin\theta+\cos\theta$, $\sin\theta-\cos\theta$일 때, 상수 a의 값을 구하시오. [6점]

22

유튜브 강의

그림과 같이 로그함수 $y=\log_a x$의 그래프 위의 두 점 A, C를 이은 선분이 한 변의 길이가 2인 정사각형 ABCD의 대각선이다. 선분 AB는 x축과 평행하고, 두 함수 $y=\log_b x$, $y=\log_d x$의 그래프가 각각 점 B, D를 지날 때, $\frac{b^2}{d^2}$의 값을 구하시오.

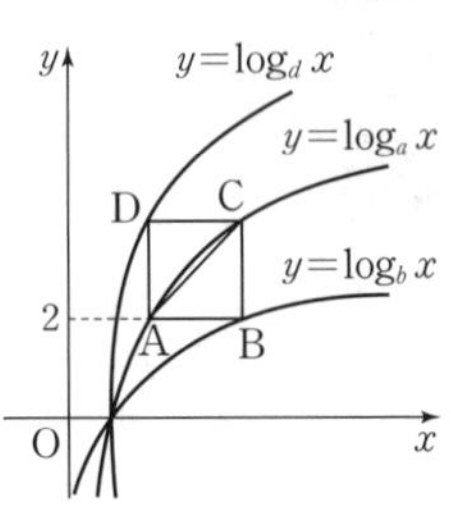

(단, $1<d<a<b$이고, 점 A의 y좌표는 2이다.) [8점]

23

유튜브 강의

두 함수 $f(x)=-x^2+2x+1$, $g(x)=a^x$ $(a>0,\ a\neq1)$이 있다. $-1\leq x\leq2$에서 두 함수 $y=f(g(x))$, $y=g(f(x))$의 최댓값이 같아지도록 하는 모든 상수 a의 값의 합을 구하시오. [8점]

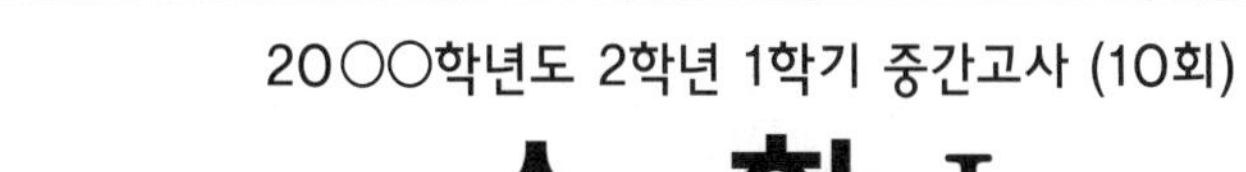

범위: 지수와 로그 ~ 삼각함수의 뜻

대상	2학년	고사일시	20 년 월 일	과목코드	10	시간	50분	점수	/100점

• 답안지에 필요한 인적 사항을 정확히 기입할 것.
• 객관식 문제의 답안 표기는 OMR카드에 반드시 컴퓨터용 사인펜을 사용하여 기입할 것.
• 주관식 문제의 답안 표기는 반드시 검은색 펜을 사용할 것.

객관식

01

양수 a에 대하여 $\sqrt[3]{a\sqrt{a}}=a^x$을 만족시키는 x의 값은? [3.3점]

① $\frac{1}{6}$　② $\frac{1}{3}$　③ $\frac{1}{2}$
④ $\frac{2}{3}$　⑤ 1

02

방정식 $\log_3|2x-1|=\log_3 5$를 만족시키는 모든 x의 값의 합은? [3.3점]

① -2　② -1　③ 0
④ 1　⑤ 2

03

$\log_{(x-2)^2}(-x^2+x+20)$이 정의되도록 하는 정수 x의 개수는? [3.3점]

① 1　② 2　③ 3
④ 4　⑤ 5

04

$\frac{[\log 62500]+[\log 6.25]}{[\log 0.000625]}$의 값은?

(단, $[x]$는 x보다 크지 않은 최대의 정수이다.) [3.3점]

① -2　② -1　③ 1
④ 2　⑤ 3

05

방정식 $9^x-3^{x+2}+a=0$의 두 근의 합이 1일 때, 상수 a의 값은? [3.3점]

① -1　② 1　③ 2
④ 3　⑤ 4

06

부등식 $2\log_3(x-1)\le\log_3(x+11)$의 해는? [3.3점]

① $x\le-1$　② $-1\le x\le1$　③ $-1<x\le5$
④ $1<x\le5$　⑤ $x\ge5$

07

$\sin\theta\cos\theta<0$, $\sin\theta\tan\theta>0$을 동시에 만족시키는 각 θ에 대하여

$$|\sin\theta|+\sqrt{\cos^2\theta}-|1-\sin\theta|+\sqrt{(1+\cos\theta)^2}$$

을 간단히 하면? [3.7점]

① $2\sin\theta$　② $2\cos\theta$　③ 0
④ 1　⑤ 2

08

θ가 제3사분면의 각일 때, $\frac{\theta}{3}$가 존재할 수 있는 사분면을 모두 고른 것은? [3.7점]

① 제1, 3사분면　② 제1, 4사분면
③ 제2, 4사분면　④ 제1, 2, 4사분면
⑤ 제1, 3, 4사분면

09

$\log_2 3=a$, $\log_3 5=b$, $\log_5 7=c$일 때, 등식

$$\frac{2ab}{1+a+abc}=\log_{42} N$$

을 만족시키는 자연수 N의 값은? [3.7점]

① 25　② 30　③ 35　④ 40　⑤ 45

10

두 수 $\sqrt{\frac{2^a \times 5^b}{2}}$, $\sqrt[3]{\frac{2^a \times 5^b}{5}}$이 모두 자연수일 때, $a+b$의 최솟값은? (단, a, b는 자연수이다.) [3.7점]

① 5　② 6　③ 7　④ 8　⑤ 9

11

$\log_3 \frac{1}{\sqrt[3]{2}}=a$, $\log_3 \frac{1}{\sqrt{7}}=b$일 때, $\frac{\log_{10} 392}{\log_{10} 3}=ma+nb$라고 한다. 두 정수 m, n에 대하여 mn의 값은? [3.7점]

① 20　② 24　③ 28　④ 32　⑤ 36

12

3^n이 20자리의 수가 되도록 하는 모든 자연수 n의 값의 합은?

(단, $\log 3=0.48$로 계산한다.) [3.7점]

① 81　② 83　③ 85　④ 87　⑤ 89

13

함수 $y=2^{\log x}\times x^{\log 2}-4(2^{\log x}+x^{\log 2})$이 $x=a$에서 최솟값 b를 가질 때, $a+b$의 값은? (단, $x>1$) [4점]

① 68 ② 76 ③ 84
④ 92 ⑤ 100

14

주위가 순간적으로 어두워지더라도 사람의 눈은 그 변화를 서서히 지각하게 된다. 빛의 세기가 1000에서 10으로 순간적으로 바뀐 후 t초가 경과했을 때, 사람이 지각하는 빛의 세기 $I(t)$는

$$I(t)=10+990\times a^{-5t}\ (a>1)$$

이라고 한다. 빛의 세기가 1000에서 10으로 순간적으로 바뀐 후, 사람이 빛의 세기를 21로 지각하는 순간까지 s초가 경과했다고 할 때, s의 값은?

(단, 빛의 세기의 단위는 Td(트롤랜드)이다.) [4점]

① $\frac{1+2\log 3}{5\log a}$ ② $\frac{1+3\log 3}{5\log a}$ ③ $\frac{2+\log 3}{5\log a}$
④ $\frac{2+2\log 3}{5\log a}$ ⑤ $\frac{2+3\log 3}{5\log a}$

15

실수 a와 2 이상의 자연수 m에 대하여 $N(a, m)$을

$N(a, m)=$(a의 m제곱근 중에서 실수인 것의 개수)

로 정의할 때, 〈보기〉에서 옳은 것만을 있는 대로 고른 것은? [4점]

보기

ㄱ. $N(9, 2)=2$
ㄴ. $a<0$이면 $N(a, m)=0$
ㄷ. $a>0$이면 $N(a, m)+N(a, m+1)=3$

① ㄱ ② ㄱ, ㄴ ③ ㄱ, ㄷ
④ ㄴ, ㄷ ⑤ ㄱ, ㄴ, ㄷ

16

유튜브 강의

$a>1$, $b>1$일 때, 두 함수 $f(x)=\log_a x$, $g(x)=b^x$에 대하여 〈보기〉에서 옳은 것만을 있는 대로 고른 것은? [4점]

보기

ㄱ. 양의 실수 x에 대하여 $f(g(x))\geq x$이다.
ㄴ. $1<x<2$이면 $g(f(x))<x$이다.
ㄷ. $f(k)<k$인 실수 k에 대하여 $g(f(k))<g(k)$이다.

① ㄱ ② ㄴ ③ ㄷ
④ ㄱ, ㄴ ⑤ ㄴ, ㄷ

17

$a+b+c=-1$, $3^a+3^b+3^c=\frac{13}{3}$, $3^{-a}+3^{-b}+3^{-c}=\frac{11}{2}$을 동시에 만족시키는 세 실수 a, b, c에 대하여 $9^a+9^b+9^c$의 값은? [4점]

① $\frac{103}{9}$ ② $\frac{136}{9}$ ③ $\frac{169}{9}$
④ $\frac{68}{3}$ ⑤ $\frac{85}{3}$

18

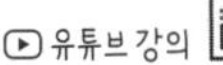

그림과 같이 지수함수 $y=2^x$의 그래프 위의 한 점 A를 지나고 x축에 평행한 직선이 함수 $y=20\times2^{-x}$의 그래프와 만나는 점을 B라 하자. 점 A의 x좌표를 a라 할 때, $1<\overline{AB}<100$을 만족시키는 2 이상의 자연수 a의 개수는?

(단, 점 A의 x좌표는 점 B의 x좌표보다 크다.) [4점]

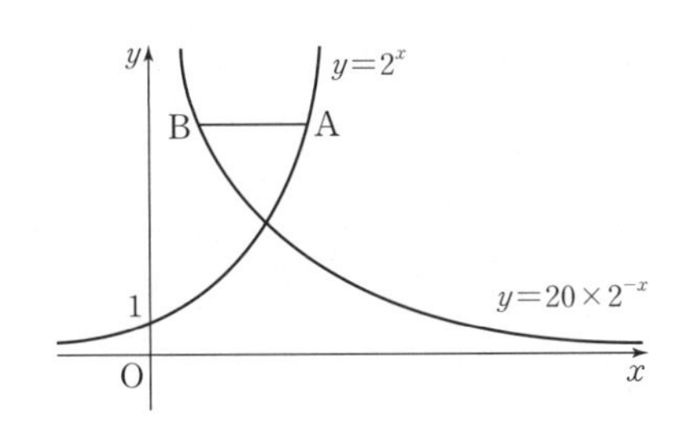

① 49 ② 50 ③ 51
④ 52 ⑤ 53

※ 다음은 서술형 문제입니다. 서술형 답안지에 풀이 과정과 답을 정확하게 서술하시오.

서술형 주관식

19

θ는 제2사분면의 각이고 $\sin\theta+\cos\theta=\frac{1}{\sqrt{2}}$일 때, $\sin\theta-\cos\theta$의 값을 구하시오. [6점]

20

나무의 높이 h(m)와 시간 t(년) 사이의 관계식이 다음과 같다고 한다.

$$t=-5\log_3\frac{120-h}{200h}$$

어느 지역에 있는 나무들이 모두 10년 이상이 되었다고 할 때, 이 지역 나무의 높이의 최솟값을 구하시오.

(단, 소수점 아래 둘째 자리에서 반올림한다.) [6점]

21

그림과 같이 기준점 1로부터의 거리가 $\log_{10}x$인 곳에 눈금 x를 매긴 자를 '로그자'라고 한다. '로그자'에서는 $\log_{10}1=0$이므로 기준점의 로그눈금은 1이다. 두 개의 로그자 A, B의 세 개의 눈금의 위치가 그림과 같이 서로 일치할 때, $x-y$의 값을 구하시오.

[6점]

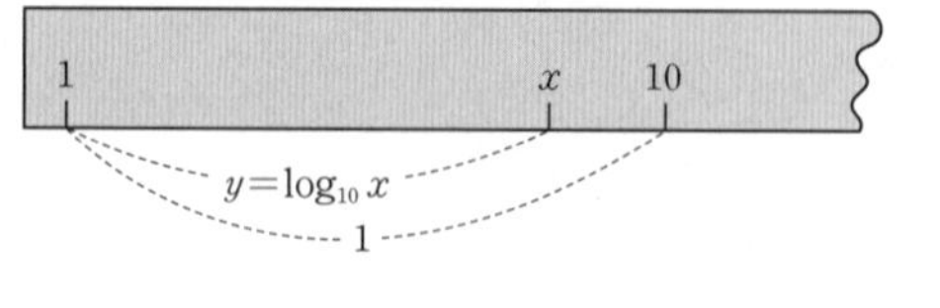

A 1 3 18 x

B 1 y 12 20

22

▶ 유튜브 강의

함수 $y=4^x+4^{-x}-2(2^x+2^{-x})+10$의 최솟값을 구하시오.

[8점]

23

▶ 유튜브 강의

두 상수 a, b에 대하여 일차함수 $f(x)=ax+b$와 지수함수 $g(x)=2^x$이 있다. $g(x)$의 역함수를 $h(x)$라 할 때, 직선 $y=f(x)$가 두 곡선 $y=g(x)$, $y=h(x)$와 만나는 점을 각각 A, B라 하고, x축, y축과 만나는 점을 각각 C, D라 하자. 다음 조건을 만족시킬 때, 삼각형 AOB의 넓이를 구하시오.

(단, O는 원점이고, $b>0$이다.) [8점]

(가) $\overline{OA}=\overline{OB}=4\sqrt{17}$

(나) 삼각형 COD의 넓이는 200이다.

[부록 1회] 삼각함수의 그래프

대상	2학년	고사일시	20 년 월 일	과목코드	01	시간	20분	점수	/40점

• 답안지에 필요한 인적 사항을 정확히 기입할 것.
• 객관식 문제의 답안 표기는 OMR카드에 반드시 컴퓨터용 사인펜을 사용하여 기입할 것.
• 주관식 문제의 답안 표기는 반드시 검은색 펜을 사용할 것.

객관식

01

$\sin\left(\pi+\frac{\pi}{6}\right)+\cos\left(\frac{\pi}{2}-\frac{\pi}{4}\right)$의 값은? [4점]

① $\frac{-1-\sqrt{2}}{2}$　② $\frac{-1+\sqrt{2}}{2}$　③ $\frac{1-\sqrt{2}}{2}$
④ $\frac{1+\sqrt{2}}{2}$　⑤ $1+\sqrt{2}$

02

$$\frac{\sin\left(\frac{\pi}{2}+\theta\right)}{\sin\left(\frac{\pi}{2}-\theta\right)\cos^2\theta}+\frac{\cos\left(\frac{3}{2}\pi+\theta\right)\tan^2(\pi-\theta)}{\sin(\pi+\theta)}$$ 의 값은?

[4점]

① -1　② 0　③ 1
④ 2　⑤ 3

03

함수 $f(x)=2\sin\left(2x+\frac{\pi}{3}\right)+1$에 대한 설명으로 옳지 않은 것은? [4점]

① $f\left(\frac{\pi}{3}\right)=1$
② $f\left(-\frac{\pi}{6}\right)=f\left(\frac{5}{6}\pi\right)$
③ 주기는 π이다.
④ 최댓값은 3이고, 최솟값은 -1이다.
⑤ $y=f(x)$의 그래프는 $y=2\sin 2x+1$의 그래프를 x축의 방향으로 $-\frac{\pi}{3}$만큼 평행이동한 것이다.

04

그림은 삼각함수 $y=2\cos x$의 그래프의 일부이다.
$\frac{b+c}{a}$의 값은? [4점]

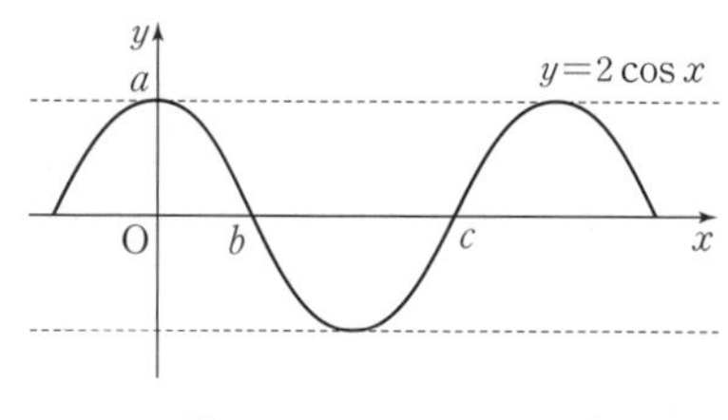

① π　② 2π　③ 3π
④ 4π　⑤ 5π

05

함수 $y=\sin^2 x+\cos x+a-2$의 최솟값이 $-\frac{1}{4}$일 때, 최댓값은? (단, a는 상수이다.) [5점]

① $\frac{1}{4}$ ② $\frac{1}{2}$ ③ 1
④ 2 ⑤ 4

06

▶ 유튜브 강의

함수 $f(x)=a\cos\left(\frac{3}{2}\pi x-\theta\right)+b$의 그래프가 그림과 같을 때, $\sin\theta$의 값은? $\left(단, a, b는 상수이고, \pi<\theta<\frac{3}{2}\pi, a<0\right)$ [5점]

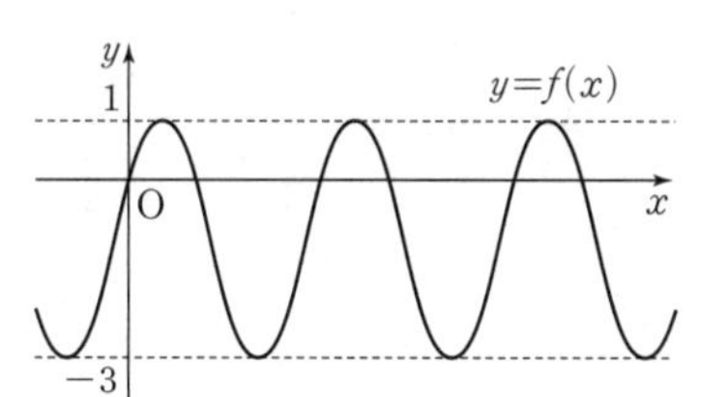

① $-\frac{\sqrt{3}}{2}$ ② $-\frac{1}{2}$ ③ $\frac{1}{2}$
④ $\frac{\sqrt{2}}{2}$ ⑤ $\frac{\sqrt{3}}{2}$

※ 다음은 서술형 문제입니다. 서술형 답안지에 풀이 과정과 답을 정확하게 서술하시오.

서술형 주관식

07

함수 $y=2\sin\left(x+\frac{\pi}{4}\right)+1$에 대하여 다음을 구하시오.

(1) 주기 [2점]

(2) 최댓값 [2점]

(3) 최솟값 [2점]

08

▶ 유튜브 강의

방정식 $3\cos\pi x=\frac{1}{2}|x-1|$의 실근의 개수를 구하시오. [8점]

[부록 2회] 삼각함수의 그래프

대상	2학년	고사일시	20 년 월 일	과목코드	02	시간	20분	점수	/40점

- 답안지에 필요한 인적 사항을 정확히 기입할 것.
- 객관식 문제의 답안 표기는 OMR카드에 반드시 컴퓨터용 사인펜을 사용하여 기입할 것.
- 주관식 문제의 답안 표기는 반드시 검은색 펜을 사용할 것.
- 서술형 문제는 서술형 답안지에 풀이 과정과 답을 정확하게 서술할 것.

객관식

01

$\cos\left(\frac{\pi}{2}-\theta\right)+\sin(\pi+\theta)+\cos(\pi-\theta)$를 간단히 하면? [4점]

① $-\sin\theta$ ② $-\cos\theta$ ③ $\sin\theta$
④ $\cos\theta$ ⑤ $\tan\theta$

02

$\sin\left(-\frac{\pi}{6}\right)+\cos\frac{8}{3}\pi+\tan\frac{5}{4}\pi$의 값은? [4점]

① -1 ② $-\frac{1}{2}$ ③ 0
④ $\frac{1}{2}$ ⑤ 1

03

함수 $y=\sin x-|\sin x|$의 그래프에 대한 다음 설명 중 옳지 않은 것은? [4점]

① 주기는 2π이다.
② 최댓값은 0이다.
③ 최솟값은 -2이다.
④ 원점에 대하여 대칭이다.
⑤ 직선 $x=\frac{\pi}{2}$에 대하여 대칭이다.

04

그림의 그래프가 나타내는 식이 $y=\sin(ax+b)$일 때, 두 상수 a, b에 대하여 ab의 값은? (단, $a>0$, $-\pi<b<\pi$) [4점]

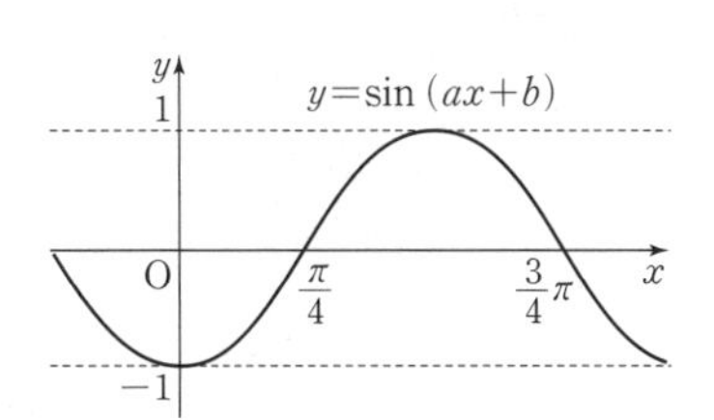

① $-\frac{3}{2}\pi$ ② $-\pi$ ③ $-\frac{\pi}{2}$
④ $\frac{\pi}{2}$ ⑤ π

05

▶ 유튜브 강의

함수 $y=-\sin^2 x+2\cos x+1$의 최댓값을 M, 최솟값을 m이라 할 때, $M-m$의 값은? [5점]

① 3 ② 4 ③ 5
④ 6 ⑤ 7

06

방정식 $\sin \pi x-\frac{1}{5}x=0$의 실근의 개수는? [5점]

① 7 ② 8 ③ 9
④ 10 ⑤ 11

※ 다음은 서술형 문제입니다. 서술형 답안지에 풀이 과정과 답을 정확하게 서술하시오.

서술형 주관식

07

함수 $f(x)=a\cos bx+c$의 최댓값이 5, 주기가 $\frac{\pi}{2}$, $f\left(\frac{\pi}{12}\right)=4$일 때, 세 상수 a, b, c에 대하여 $a+b+c$의 값을 구하시오.
(단, $a>0$, $b>0$) [6점]

08

▶ 유튜브 강의

두 함수 $f(x)=a\sin x-b$, $g(x)=-2x+1$에 대하여 합성함수 $(g\circ f)(x)$의 최댓값이 13, 최솟값이 -19일 때, 두 상수 a, b에 대하여 ab의 값을 구하시오. (단, $a>0$) [8점]

[부록 3회] 삼각함수의 그래프

대상	2학년	고사일시	20 년 월 일	과목코드	03	시간	20분	점수	/40점

- 답안지에 필요한 인적 사항을 정확히 기입할 것.
- 객관식 문제의 답안 표기는 OMR카드에 반드시 컴퓨터용 사인펜을 사용하여 기입할 것.
- 주관식 문제의 답안 표기는 반드시 검은색 펜을 사용할 것.

객관식

01

방정식 $2\sin x-1=0$의 해는? (단, $0\leq x\leq 2\pi$) [4점]

① $\frac{\pi}{6}$ ② $\frac{\pi}{3}$ ③ $\frac{\pi}{6}$ 또는 $\frac{\pi}{3}$
④ $\frac{\pi}{6}$ 또는 $\frac{5}{6}\pi$ ⑤ $\frac{\pi}{3}$ 또는 $\frac{2}{3}\pi$

02

방정식 $2\sin^2 x=1-\cos x$의 모든 근의 합은? (단, $0\leq x\leq 2\pi$) [4점]

① 2π ② $\frac{5}{2}\pi$ ③ 3π
④ $\frac{7}{2}\pi$ ⑤ 4π

03

부등식 $2\sin^2 x-\cos x-1<0$의 해가 $0\leq x<\alpha$ 또는 $\beta<x<2\pi$일 때, $\beta-\alpha$의 값은? (단, $0\leq x<2\pi$) [4점]

① $\frac{\pi}{3}$ ② $\frac{2}{3}\pi$ ③ π
④ $\frac{4}{3}\pi$ ⑤ $\frac{5}{3}\pi$

04

모든 실수 x에 대하여 부등식 $x^2+(2\cos\theta+1)x+1>0$이 성립하도록 하는 θ의 값의 범위가 $\alpha<\theta<\beta$일 때, $\alpha+\beta$의 값은?
(단, $0\leq\theta\leq 2\pi$) [4점]

① $\frac{\pi}{4}$ ② $\frac{\pi}{2}$ ③ π
④ $\frac{3}{2}\pi$ ⑤ 2π

05

▶ 유튜브 강의

$0<x<2\pi$에서 방정식 $2\cos^2 x-\cos x-1=k$가 서로 다른 4개의 실근을 갖도록 하는 실수 k의 값의 범위가 $\alpha<k<\beta$일 때, $\beta-\alpha$의 값은? [5점]

① $\frac{9}{8}$ ② 1 ③ $\frac{7}{8}$
④ $\frac{3}{4}$ ⑤ $\frac{5}{8}$

06

부등식 $\sin^2\left(x+\frac{\pi}{2}\right)+2\sin x+k\leq 0$이 모든 실수 x에 대하여 항상 성립하도록 하는 실수 k의 값의 범위는? [5점]

① $k\leq -4$ ② $k\leq -2$ ③ $-2\leq k\leq 0$
④ $2\leq k\leq 4$ ⑤ $k\geq 4$

※ 다음은 서술형 문제입니다. 서술형 답안지에 풀이 과정과 답을 정확하게 서술하시오.

서술형 주관식

07

부등식 $2\cos\left(2x-\frac{\pi}{3}\right)<\sqrt{3}$의 해를 구하시오. (단, $0\leq x\leq \pi$)

[6점]

08

▶ 유튜브 강의

$0\leq x\leq 2\pi$에서 부등식 $2\cos^2\left(x-\frac{\pi}{3}\right)-5\cos\left(x+\frac{\pi}{6}\right)\geq 4$를 만족시키는 x의 최댓값을 구하시오. [8점]

[부록 4회] 삼각함수의 활용

대상	2학년	고사일시	20 년 월 일	과목코드	04	시간	20분	점수	/40점

• 답안지에 필요한 인적 사항을 정확히 기입할 것.
• 객관식 문제의 답안 표기는 OMR카드에 반드시 컴퓨터용 사인펜을 사용하여 기입할 것.
• 주관식 문제의 답안 표기는 반드시 검은색 펜을 사용할 것.

객관식

01

삼각형 ABC에서 $A=40^\circ$, $B=80^\circ$, $\overline{AB}=6$이다. 삼각형 ABC의 외접원의 반지름의 길이를 R라 할 때, R^2의 값은? [4점]

① 10 ② 12 ③ 14
④ 16 ⑤ 18

02

삼각형 ABC에서 $\overline{AB}=2\sqrt{5}$, $\overline{CA}=2\sqrt{2}$, $C=45^\circ$일 때, 변 BC의 길이는? [4점]

① $\sqrt{30}$ ② $4\sqrt{2}$ ③ $\sqrt{34}$
④ 6 ⑤ $\sqrt{38}$

03

그림과 같이 $\overline{AB}=80\,\text{m}$인 두 지점 A, B에서 강 건너 C지점을 바라본 각의 크기를 재었더니 $\angle BAC=60^\circ$, $\angle ABC=75^\circ$이었다. 이때, 두 점 B, C 사이의 거리는? [4점]

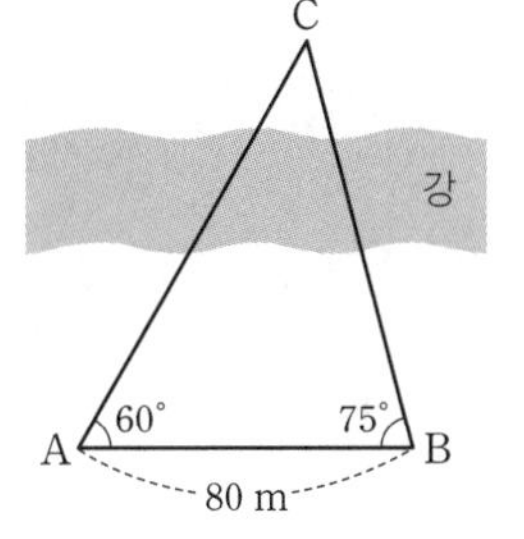

① $40\sqrt{2}\,\text{m}$ ② $80\,\text{m}$
③ $40\sqrt{6}\,\text{m}$ ④ $80\sqrt{2}\,\text{m}$
⑤ $80\sqrt{6}\,\text{m}$

04

삼각형 ABC의 세 변의 길이 a, b, c에 대하여 $(a+b):(b+c):(c+a)=5:7:6$일 때, $\dfrac{\sin B \sin C}{\sin^2 A}$의 값은? [4점]

① $\frac{1}{6}$ ② $\frac{1}{3}$ ③ $\frac{1}{2}$
④ 2 ⑤ 3

05

삼각형 ABC에서 $b\cos A-a\cos B=c$가 성립할 때, 이 삼각형은 어떤 삼각형인가? [5점]

① 정삼각형
② $a=b$인 이등변삼각형
③ $a=c$인 이등변삼각형
④ $\angle A=90^\circ$인 직각삼각형
⑤ $\angle B=90^\circ$인 직각삼각형

06

삼각형 ABC에서 $6\sin A=2\sqrt{3}\sin B=3\sin C$가 성립할 때, $\cos A$의 값은? [5점]

① 1 ② $\frac{\sqrt{3}}{2}$ ③ $\frac{\sqrt{2}}{2}$
④ $\frac{1}{2}$ ⑤ $\frac{1}{6}$

※ 다음은 서술형 문제입니다. 서술형 답안지에 풀이 과정과 답을 정확하게 서술하시오.

서술형 주관식

07

유튜브 강의

반지름의 길이가 13인 원에 내접하는 삼각형 ABC에서 한 변의 길이가 10이고, $\sin C=\sin A\cos B$를 만족시킬 때, 삼각형 ABC의 둘레의 길이를 구하시오. [6점]

08

유튜브 강의

그림과 같이 모든 모서리의 길이가 1인 정사각뿔이 있다. 모서리 EC 위를 움직이는 점 P에 대하여 $\angle BPD=\theta$라 할 때, $\cos\theta$의 최솟값을 구하시오. [8점]

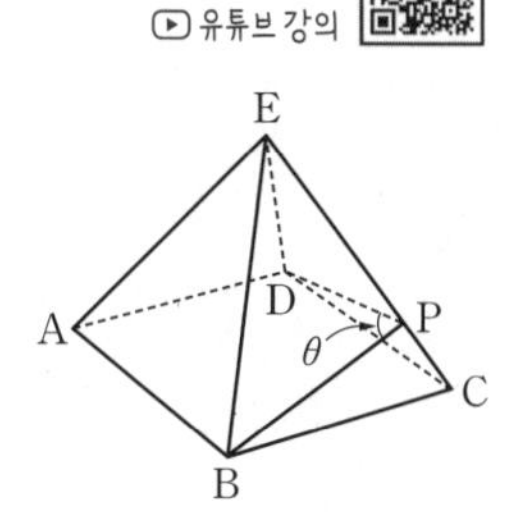

아름다운샘

고2 수학 I

정답 및 해설

20○○학년도 2학년 1학기 중간고사(1회)

01 ③	**02** ②	**03** ④	**04** ④	**05** ②
06 ④	**07** ③	**08** ④	**09** ⑤	**10** ③
11 ③	**12** ④	**13** ③	**14** ④	**15** ④
16 ⑤	**17** ②	**18** ③	**19** $8\sqrt{5}$	**20** 34
21 5	**22** $\frac{1}{2}$	**23** $k\le 3$		

01 ① 네제곱근 100은 $\sqrt[4]{100}=\sqrt[4]{10^2}=\sqrt{10}$ 이다. (참)
② $5^3=125$이므로 5는 125의 세제곱근이다. (참)
③ $x^4=4$에서 $(x^2-2)(x^2+2)=0$
$(x+\sqrt{2})(x-\sqrt{2})(x^2+2)=0$
$\therefore x=\pm\sqrt{2}$ 또는 $x=\pm\sqrt{2}i$
따라서 4의 네제곱근은 4개이다. (거짓)
④ -27의 세제곱근 중에서 실수인 것은
$\sqrt[3]{-27}=\sqrt[3]{(-3)^3}=-3$이다. (참)
⑤ n이 2보다 큰 홀수일 때, -5의 n제곱근 중에서 실수인 것은
$\sqrt[n]{-5}=-\sqrt[n]{5}$ 이다. (참)

[다른 풀이]
④ $x^3=-27$에서 $x^3+27=0$
$(x+3)(x^2-3x+9)=0$
$\therefore x=-3$ 또는 $x=\dfrac{3\pm3\sqrt{3}i}{2}$
따라서 -27의 세제곱근 중에서 실수인 것은 -3이다. (참)

02 $\sqrt[4]{\sqrt[3]{a}\times\dfrac{a}{\sqrt{a}}}=\sqrt[4]{\sqrt[3]{a}}\times\dfrac{\sqrt[4]{a}}{\sqrt[4]{\sqrt{a}}}=\sqrt[12]{a}\times\dfrac{\sqrt[4]{a}}{\sqrt[8]{a}}=a^{\frac{1}{12}}\times\dfrac{a^{\frac{1}{4}}}{a^{\frac{1}{8}}}$
$=a^{\frac{1}{12}+\frac{1}{4}-\frac{1}{8}}=a^{\frac{2+6-3}{24}}=a^{\frac{5}{24}}$
$\therefore k=\dfrac{5}{24}$

03 $\log_3 6+\log_3 54-\log_3 4=\log_3\dfrac{6\times54}{4}$
$=\log_3 3^4=4$

04 진수의 조건에서 모든 실수 x에 대하여 $x^2-2ax+4a>0$
이차방정식 $x^2-2ax+4a=0$의 판별식을 D라 하면
$\dfrac{D}{4}=a^2-4a<0,\ a(a-4)<0$
$\therefore 0<a<4$

> **핵심 포인트**
> 로그의 밑과 진수의 조건
> $\log_a N$이 정의되기 위해서는 다음 두 조건을 모두 만족시켜야 한다.
> (1) 밑의 조건: 밑 a는 1이 아닌 양수이어야 한다.
> ➡ $a>0,\ a\neq1$
> (2) 진수의 조건: 진수 N은 양수이어야 한다.
> ➡ $N>0$

05 $\log x=-2.8477=-3+0.1523$
$=\log10^{-3}+\log1.42=\log0.00142$
$\therefore x=0.00142$

06 함수 $f(x)$는 (밑)>1이므로 x의 값이 증가하면 y의 값도 증가한다. 즉, $x=4$일 때 최댓값을 가지므로
$M=4^4=256$
함수 $g(x)$는 $0<$(밑)<1이므로 x의 값이 증가하면 y의 값은 감소한다. 즉, $x=4$일 때 최솟값을 가지므로
$m=\left(\dfrac{1}{2}\right)^4=\dfrac{1}{16}$
$\therefore Mm=256\times\dfrac{1}{16}=16$

07 두 점 A, B의 y좌표는 각각 $\log_3 a$, $\log_3 b$이므로
$\overline{\mathrm{AB}}=\log_3 b-\log_3 a$
$=\log_3\dfrac{b}{a}=3$
$\therefore \dfrac{b}{a}=3^3=27$

08 지수함수 $y=2^x$의 그래프를 직선 $y=x$에 대하여 대칭이동하면
$x=2^y\quad\therefore y=\log_2 x$ ······ ㉠
㉠의 그래프를 다시 x축의 방향으로 3만큼, y축의 방향으로 5만큼 평행이동하면
$y=\log_2(x-3)+5$ ······ ㉡
㉡의 그래프가 점 $(k,10)$을 지나므로
$10=\log_2(k-3)+5,\ 5=\log_2(k-3)$
$k-3=2^5\quad\therefore k=35$

09 ㄱ. $y=\log_2(-x)$의 그래프는 $y=\log_2 x$의 그래프를 y축에 대하여 대칭이동한 것이다.
ㄴ. $y=\log_2(x-3)$의 그래프는 $y=\log_2 x$의 그래프를 x축의 방향으로 3만큼 평행이동한 것이다.
ㄷ. $y=2\log_2 x=\log_2 x^2$이므로 $y=\log_2 x$의 그래프를 평행이동 또는 대칭이동하여 $y=2\log_2 x$의 그래프와 일치할 수 없다.
ㄹ. $y=\log_2 2x=\log_2 x+1$이므로 $y=\log_2 x$의 그래프를 y축의 방향으로 1만큼 평행이동한 것이다.
따라서 $y=\log_2 x$의 그래프와 일치할 수 있는 것은 ㄱ, ㄴ, ㄹ이다.

10 진수의 조건에서 $x+6>0,\ x>0$
$\therefore x>0$ ······ ㉠
$\log_2(x+6)=\log_{\sqrt{2}}x$에서
$\log_2(x+6)=2\log_2 x$
$\log_2(x+6)=\log_2 x^2$
$x+6=x^2$
$x^2-x-6=0$
$(x+2)(x-3)=0$
$\therefore x=-2$ 또는 $x=3$
그런데 ㉠에서 $x>0$이므로 $x=3$

11 부채꼴의 반지름의 길이를 r, 중심각의 크기를 θ, 호의 길이를 l, 넓이를 S라 하면

$\theta=\frac{\pi}{3}$, $l=\pi$이므로 $l=r\theta$에서

$\pi=r\times\frac{\pi}{3}$

$\therefore r=3(\text{cm})$

$\therefore S=\frac{1}{2}rl=\frac{1}{2}\times3\times\pi=\frac{3}{2}\pi\ (\text{cm}^2)$

12 점 $\text{P}(a, 2)$에 대하여

$\tan\theta=\frac{2}{a}=-\frac{3}{5}\qquad\therefore a=-\frac{10}{3}$

즉, 점 P의 좌표가 $\left(-\frac{10}{3}, 2\right)$이므로

$\overline{\text{OP}}=\sqrt{\left(-\frac{10}{3}\right)^2+2^2}=\frac{2\sqrt{34}}{3}$

13 조건 (나)에서

$5^a=9^b=k\ (k>0)$로 놓으면

$5^a=k$에서 $5=k^{\frac{1}{a}}$ ……㉠

$9^b=3^{2b}=k$에서 $3=k^{\frac{1}{2b}}$ ……㉡

㉠×㉡을 하면 $15=k^{\frac{1}{a}+\frac{1}{2b}}$

조건 (가)에서

$\frac{1}{a}+\frac{1}{2b}=\frac{1}{2}$이므로 $15=k^{\frac{1}{2}}$

$\therefore k=15^2$

따라서 $9^b=(3^b)^2=15^2$이므로

$3^b=15$

14 $a^x=b^y=c^z=27$에서

$a=27^{\frac{1}{x}}$, $b=27^{\frac{1}{y}}$, $c=27^{\frac{1}{z}}$

$xy+yz+zx=xyz$의 양변을 xyz로 나누면

$\frac{1}{x}+\frac{1}{y}+\frac{1}{z}=1$

$\therefore abc=27^{\frac{1}{x}}\times27^{\frac{1}{y}}\times27^{\frac{1}{z}}=27^{\frac{1}{x}+\frac{1}{y}+\frac{1}{z}}=27$

$\therefore \log_3 abc=\log_3 27=\log_3 3^3=3$

15 $\log x$와 $\log\sqrt{x}$의 소수 부분의 합이 1이므로

$\log x+\log\sqrt{x}=\frac{3}{2}\log x=(\text{정수})$

$10^3\le x<10^4$에서 $\log x$의 정수 부분은 3이므로

$3\le\log x<4$, $\frac{9}{2}\le\frac{3}{2}\log x<6$

$\frac{3}{2}\log x$가 정수이므로

$\frac{3}{2}\log x=5\qquad\therefore \log x=\frac{10}{3}$

따라서 $\log x=\frac{10}{3}=3+\frac{1}{3}$이므로 $\log x$의 소수 부분은 $\frac{1}{3}$이다.

[다른 풀이]

$\log x$의 소수 부분을 $\alpha\ (0\le\alpha<1)$라 하면 $10^3\le x<10^4$이므로

$\log x=3+\alpha$

$\therefore \log\sqrt{x}=\frac{1}{2}\log x=\frac{3+\alpha}{2}=1+\frac{1+\alpha}{2}$

$\frac{1}{2}\le\frac{1+\alpha}{2}<1$이므로 $\frac{1+\alpha}{2}$는 $\log\sqrt{x}$의 소수 부분이다.

따라서 $\log x$와 $\log\sqrt{x}$의 소수 부분의 합이 1이므로

$\alpha+\frac{1+\alpha}{2}=1\qquad\therefore \alpha=\frac{1}{3}$

> **핵심 포인트**
>
> **로그의 정수 부분과 소수 부분**
>
> 양수 N과 정수 n에 대하여 $a^n\le N<a^{n+1}\ (a>0,\ a\ne1)$일 때, 각 변에 밑이 a인 로그를 취하면
>
> $\log_a a^n\le\log_a N<\log_a a^{n+1}$이므로 $n\le\log_a N<n+1$임을 알 수 있다.
>
> 따라서 $\log_a N$의 정수 부분은 n, 소수 부분은 $\log_a N-n$이다.

16 진수의 조건에서 $x>0$ ……㉠

$(\log_2 x)^2-\log_2 x^3+2\le0$에서

$(\log_2 x)^2-3\log_2 x+2\le0$이므로 $\log_2 x=t$로 놓으면

$t^2-3t+2\le0$

$(t-1)(t-2)\le0\qquad\therefore 1\le t\le2$

즉, $1\le\log_2 x\le2$이므로

$2\le x\le4$ ……㉡

㉠, ㉡의 공통 범위를 구하면 $2\le x\le4$

$\therefore B=\{x|2\le x\le4\}$

$4^x-(a+1)2^x+a\le0$에서 $2^x=s\ (s>0)$로 놓으면

$s^2-(a+1)s+a\le0$

$(s-1)(s-a)\le0$

$A\cup B=A$에서 $B\subset A$이므로

$1\le s\le a$

즉, $1\le2^x\le a$이므로 $0\le x\le\log_2 a$이고,

$4\le\log_2 a$

$\therefore a\ge16$

따라서 실수 a의 최솟값은 16이다.

17 케이크의 제1단의 부피를 a라 하고, 각 단의 부피가 r씩 감소한다고 하면

$p=ar$, $q=ar^3$이므로 $\frac{q}{p}=\frac{ar^3}{ar}=r^2$

따라서 케이크의 제8단의 부피는

$ar^7=ar^3\times r^4=q\times\left(\frac{q}{p}\right)^2$

$=q\times\frac{q^2}{p^2}=\frac{q^3}{p^2}$

18 곡선 $y=3^{-x+a}+b$의 점근선이 $y=b$이므로

$y=|3^{-x+a}+b|$의 그래프의 점근선은 $y=-b$이다.

$\therefore b=-2$

이때, 주어진 함수의 그래프가 점 $(0, 16)$을 지나므로

$16=3^a-2$

$3^a=18$

$\therefore a=\log_3 18$

따라서 함수 $y=|3^{-x+\log_3 18}-2|$의 그래프가 x축과 만나는 점의 x좌표를 k라 하면

$|3^{-k+\log_3 18}-2|=0$에서 $3^{-k+\log_3 18}=2$, $-k+\log_3 18=\log_3 2$

$\therefore k=\log_3 18-\log_3 2=\log_3 9=2$

따라서 삼각형 AOB의 넓이는

$\frac{1}{2}\times 2\times 16=16$

19 $(a^{\frac{1}{2}}-a^{-\frac{1}{2}})^2=(a^{\frac{1}{2}}+a^{-\frac{1}{2}})^2-4=3^2-4=5$

이때, $a>1$이므로 $a^{\frac{1}{2}}=\sqrt{a}>1$, $a^{-\frac{1}{2}}=\frac{1}{\sqrt{a}}<1$

즉, $a^{\frac{1}{2}}-a^{-\frac{1}{2}}>0$이므로 $a^{\frac{1}{2}}-a^{-\frac{1}{2}}=\sqrt{5}$ ······ ㉮

$\therefore a^{\frac{3}{2}}-a^{-\frac{3}{2}}=(a^{\frac{1}{2}}-a^{-\frac{1}{2}})^3+3(a^{\frac{1}{2}}-a^{-\frac{1}{2}})$

$=5\sqrt{5}+3\sqrt{5}=8\sqrt{5}$ ······ ㉯

채점 기준	배점
㉮ $a^{\frac{1}{2}}-a^{-\frac{1}{2}}=\sqrt{5}$ 구하기	3점
㉯ 답 구하기	3점

20 $4^x-2^{x+3}+15=0$에서 $4^x-8\times 2^x+15=0$

$2^x=t\ (t>0)$로 놓으면

$t^2-8t+15=0$ ······ ㉠ ······ ㉮

주어진 방정식의 두 근이 α, β이므로 ㉠의 두 근은 2^α, 2^β이다.

따라서 이차방정식의 근과 계수의 관계에 의하여

$2^\alpha+2^\beta=8$, $2^\alpha\times 2^\beta=15$ ······ ㉯

$\therefore 2^{2\alpha}+2^{2\beta}=(2^\alpha+2^\beta)^2-2\times 2^\alpha\times 2^\beta$

$=8^2-2\times 15$

$=64-30=34$ ······ ㉰

채점 기준	배점
㉮ $t^2-8t+15=0$ 구하기	2점
㉯ $2^\alpha+2^\beta=8$, $2^\alpha\times 2^\beta=15$ 구하기	2점
㉰ 답 구하기	2점

21 리히터 규모가 a인 지진의 에너지를 E_1이라 하면

$\log_{10}E_1=k+1.5a$ $\therefore E_1=10^{k+1.5a}$ ······ ㉮

리히터 규모가 9인 지진의 에너지를 E_2라 하면

$\log_{10}E_2=k+1.5\times 9$ $\therefore E_2=10^{k+13.5}$ ······ ㉯

주어진 조건으로부터 $E_1=0.1^6\times E_2$ ······ ㉰

$10^{k+1.5a}=0.1^6\times 10^{k+13.5}$

$10^{k+1.5a}=10^{-6+(k+13.5)}$

$k+1.5a=-6+k+13.5$

$1.5a=7.5$ $\therefore a=5$ ······ ㉱

채점 기준	배점
㉮ $E_1=10^{k+1.5a}$ 구하기	1점
㉯ $E_2=10^{k+13.5}$ 구하기	1점
㉰ 문제의 뜻에 따라 식 세우기	2점
㉱ 답 구하기	2점

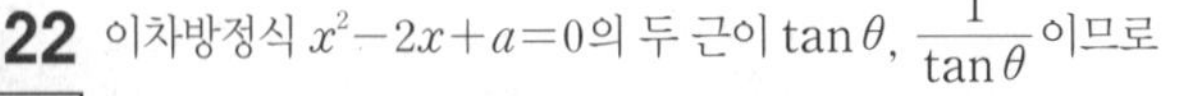

22 이차방정식 $x^2-2x+a=0$의 두 근이 $\tan\theta$, $\frac{1}{\tan\theta}$이므로

근과 계수의 관계에 의하여

$\tan\theta+\frac{1}{\tan\theta}=2$ ······ ㉠

$\tan\theta\times\frac{1}{\tan\theta}=a$ $\therefore a=1$ ······ ㉮

㉠에서

$\frac{\sin\theta}{\cos\theta}+\frac{\cos\theta}{\sin\theta}=\frac{\sin^2\theta+\cos^2\theta}{\sin\theta\cos\theta}=\frac{1}{\sin\theta\cos\theta}=2$

$\therefore \sin\theta\cos\theta=\frac{1}{2}$ ······ ㉯

$\therefore \frac{\sin\theta\cos\theta}{a}=\frac{\frac{1}{2}}{1}=\frac{1}{2}$ ······ ㉰

채점 기준	배점
㉮ $a=1$ 구하기	3점
㉯ $\sin\theta\cos\theta=\frac{1}{2}$ 구하기	3점
㉰ 답 구하기	2점

23 $k\times 2^x\le 4^x-2^x+4$에서 $4^x-(k+1)2^x+4\ge 0$

$2^x=t\ (t>0)$로 놓으면 $t^2-(k+1)t+4\ge 0$ ······ ㉮

이때, $f(t)=t^2-(k+1)t+4$로 놓으면

$f(t)=\left(t-\frac{k+1}{2}\right)^2+4-\frac{(k+1)^2}{4}$

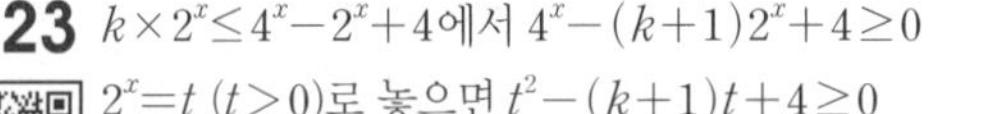

$t>0$인 모든 실수 t에 대하여 $f(t)\ge 0$이 성립하려면

(i) $y=f(t)$의 그래프의 대칭축이 양수일 때

$\frac{k+1}{2}>0$에서 $k>-1$ ······ ㉠

즉, $f(t)$는 $t=\frac{k+1}{2}$에서 최솟값을 가지므로

$4-\frac{(k+1)^2}{4}\ge 0$

$(k+1)^2-16\le 0$, $k^2+2k-15\le 0$

$(k+5)(k-3)\le 0$

$\therefore -5\le k\le 3$ ······ ㉡

㉠, ㉡에서 $-1<k\le 3$ ······ ㉯

(ii) $y=f(t)$의 그래프의 대칭축이 0 또는 음수일 때

$\frac{k+1}{2}\le 0$에서 $k\le -1$

이때, $f(0)=4>0$이므로 $f(t)\ge 0$이 항상 성립한다.

$\therefore k\le -1$ ······ ㉰

(i), (ii)에서 $k\le 3$ ······ ㉱

채점 기준	배점
㉮ $t^2-(k+1)t+4\ge 0$ 구하기	2점
㉯ $-1<k\le 3$ 구하기	2점
㉰ $k\le -1$ 구하기	2점
㉱ 답 구하기	2점

20○○학년도 2학년 1학기 중간고사(2회)

01 ②	02 ②	03 ③	04 ①	05 ④
06 ⑤	07 ④	08 ③	09 ④	10 ③
11 ②	12 ⑤	13 ④	14 ④	15 ④
16 ①	17 ④	18 ③	19 $\frac{3}{2}$	20 $\frac{\sqrt{3}}{2}$
21 $\frac{1}{4}$	22 204	23 $\frac{3}{2}$		

01 -125의 세제곱근 중에서 실수인 것은
$a=\sqrt[3]{-125}=\sqrt[3]{(-5)^3}=-5$
또 네제곱근 16은
$b=\sqrt[4]{16}=\sqrt[4]{2^4}=2$
$\therefore a+b=(-5)+2=-3$

02 $\frac{1}{\log_2 36}+\frac{1}{\log_3 36}=\log_{36}2+\log_{36}3$
$=\log_{36}6=\log_{6^2}6$
$=\frac{1}{2}\log_6 6=\frac{1}{2}$

03 지수가 유리수인 경우, 밑이 음수일 때는 지수법칙이 성립하지 않는다.
따라서 처음으로 잘못된 곳은 ③이다.

04 $N=\sqrt[3]{\frac{\sqrt{x^3}}{\sqrt[4]{x}}}\times\sqrt{\frac{\sqrt[6]{x}}{\sqrt[3]{x}}}=\frac{\sqrt[3]{\sqrt{x^3}}}{\sqrt[3]{\sqrt[4]{x}}}\times\frac{\sqrt{\sqrt[6]{x}}}{\sqrt{\sqrt[3]{x}}}$
$=\frac{\sqrt[6]{x^3}}{\sqrt[12]{x}}\times\frac{\sqrt[12]{x}}{\sqrt[6]{x}}=\frac{\sqrt[6]{x^3}}{\sqrt[6]{x}}$
$=\sqrt[6]{x^2}=\sqrt[3]{x}=x^{\frac{1}{3}}$
이때, N의 값이 자연수가 되려면 $x=a^3$ (a는 자연수) 꼴이어야 한다.
따라서 4^3, $5^6=(5^2)^3$, $8^5=(2^3)^5=(2^5)^3$, $10^9=(10^3)^3$은 x의 값이 될 수 있다.

05 $y=4\times 2^{2x}+5$
$=2^2\times 2^{2x}+5$
$=2^{2(x+1)}+5$
이므로 함수 $y=2^{2x}$의 그래프를 x축의 방향으로 -1만큼, y축의 방향으로 5만큼 평행이동한 것이다.
$\therefore m=-1,\ n=5$
$\therefore m+n=4$

06 $2^x+2^{3-x}=6$에서 $2^x+2^3\times 2^{-x}=6$
$2^x=t\ (t>0)$로 놓으면
$t+\frac{8}{t}=6,\ t^2-6t+8=0$
$(t-2)(t-4)=0 \qquad \therefore t=2$ 또는 $t=4$
즉, $2^x=2$ 또는 $2^x=4$이므로
$x=1$ 또는 $x=2$
따라서 방정식을 만족시키는 모든 근의 합은
$1+2=3$

07 ㄱ. 210°는 제3사분면의 각이다.
ㄴ. $-200^\circ=360^\circ\times(-1)+160^\circ$이므로 제2사분면의 각이다.
ㄷ. $500^\circ=360^\circ\times 1+140^\circ$이므로 제2사분면의 각이다.
ㄹ. $455^\circ=360^\circ\times 1+95^\circ$이므로 제2사분면의 각이다.
따라서 제2사분면의 각은 ㄴ, ㄷ, ㄹ의 3개이다.

08 $a^2b^3=1$의 양변에 b를 밑으로 하는 로그를 취하면
$\log_b a^2b^3=\log_b a^2+\log_b b^3=2\log_b a+3=0$
$\therefore \log_b a=-\frac{3}{2}$
$\therefore \log_{ab}a^4b^2=\log_{ab}a^2b^2+\log_{ab}a^2$
$=2+\frac{\log_b a^2}{\log_b ab}=2+\frac{2\log_b a}{1+\log_b a}$
$=2+\frac{-3}{1-\frac{3}{2}}=8$

09 $0<\log 7<1,\ 1<\log 11<2$이므로
$\log 7=\alpha,\ \log 11=1+\beta$
$\therefore \log 77^2=2\log(7\times 11)=2(\log 7+\log 11)$
$=2(\alpha+1+\beta)=2\alpha+2\beta+2$
이때, $77^2=5929$는 네 자리의 정수이므로 $\log 77^2$의 정수 부분은 3이다.
따라서 $\log 77^2$의 소수 부분은
$\log 77^2-3=(2\alpha+2\beta+2)-3=2\alpha+2\beta-1$

10 진수의 조건에서 $2-x>0,\ x+4>0$
$\therefore -4<x<2$
$y=\log_3(2-x)+\log_3(x+4)+1$
$=\log_3(2-x)(x+4)+1$
$=\log_3(-x^2-2x+8)+1 \qquad \cdots\cdots$ ㉠
㉠에서 (밑)>1이므로 x의 값이 증가하면 y의 값도 증가한다.
즉, $-x^2-2x+8$의 값이 최대일 때,
$\log_3(-x^2-2x+8)$의 값도 최대이다.
$-x^2-2x+8=-(x+1)^2+9$에서 $x=-1$일 때, 최댓값 9를 가지므로 ㉠의 최댓값은
$\log_3 9+1=2+1=3$

11 $\left(\frac{1}{3}\right)^{x^2+6}\leq 3^{k(1-2x)}$에서 $\left(\frac{1}{3}\right)^{x^2+6}\leq\left(\frac{1}{3}\right)^{k(2x-1)}$
밑 $\frac{1}{3}$은 0보다 크고 1보다 작으므로
$x^2+6\geq k(2x-1)$
즉, $x^2-2kx+k+6\geq 0$이 성립해야 하므로 이차방정식 $x^2-2kx+k+6=0$의 판별식을 D라 하면
$\frac{D}{4}=k^2-k-6\leq 0$
$(k+2)(k-3)\leq 0$
$\therefore -2\leq k\leq 3$

따라서 정수 k의 최댓값 $M=3$, 최솟값 $m=-2$이므로

$M^2+m^2=3^2+(-2)^2=13$

12 $f(x)=2^x$이므로 $f^{-1}(x)=\log_2 x$

주어진 그래프에서 점 $A(1, 0)$이고 점 A와 점 B의 x좌표가 같으므로 $B(1, 2)$

점 B와 점 C의 y좌표가 같고 점 C의 x좌표가 a이므로

$\log_2 a=2$에서 $a=4$

$\therefore C(4, 2)$

또 점 C와 점 D의 x좌표가 같으므로 $b=2^4=16$

$\therefore D(4, 16)$

$\therefore a+b=20$

13 진수의 조건에서 $x>0$, $\log_2 x-3>0$

$\log_2 x-3>0$에서 $\log_2 x>3$이므로 $x>8$

$\therefore x>8$ ……㉠

$\log_9(\log_2 x-3)\le\frac{1}{2}$에서

$\log_9(\log_2 x-3)\le\log_9 9^{\frac{1}{2}}$

$\log_9(\log_2 x-3)\le\log_9 3$

밑 9는 1보다 크므로

$\log_2 x-3\le3$

$\log_2 x\le6$, $x\le2^6$

$\therefore x\le64$ ……㉡

㉠, ㉡의 공통 범위를 구하면

$8<x\le64$

따라서 구하는 정수 x의 개수는 56이다.

14 부채꼴의 반지름의 길이를 r, 호의 길이를 l, 넓이를 S라 하면

$2r+l=10$에서 $l=10-2r$

즉, 부채꼴의 넓이는

$S=\frac{1}{2}r(10-2r)=-\left(r-\frac{5}{2}\right)^2+\frac{25}{4}$

이므로 $r=\frac{5}{2}$일 때, 넓이의 최댓값이 $\frac{25}{4}$이다.

$S=\frac{1}{2}r^2\theta$에서

$\frac{25}{4}=\frac{1}{2}\times\left(\frac{5}{2}\right)^2\times\theta$ $\quad\therefore \theta=2$(라디안)

$\therefore \frac{\pi}{2}<\theta<\frac{2}{3}\pi$

15 $\tan\theta+\frac{1}{\tan\theta}=4$에서 $\frac{\sin\theta}{\cos\theta}+\frac{\cos\theta}{\sin\theta}=4$

$\frac{\sin^2\theta+\cos^2\theta}{\cos\theta\sin\theta}=\frac{1}{\sin\theta\cos\theta}=4$

$\therefore \sin\theta\cos\theta=\frac{1}{4}$

$\therefore \frac{1}{\sin^2\theta}+\frac{1}{\cos^2\theta}=\frac{\cos^2\theta+\sin^2\theta}{\sin^2\theta\cos^2\theta}$

$=\frac{1}{(\sin\theta\cos\theta)^2}$

$=16$

16 운동을 시작하기 전의 체지방률을 T_0, x일 후의 체지방률이 운동 전 체지방률의 b배가 된다고 하면 주어진 등식에 의하여

$T_0\times b=T_0\times a^{-\frac{x}{10}}$

즉, $b=a^{-\frac{x}{10}}$이므로 $-\frac{x}{10}=\log_a b$

$\therefore x=-10\log_a b$

17 $24\le\log x^8<25$이므로

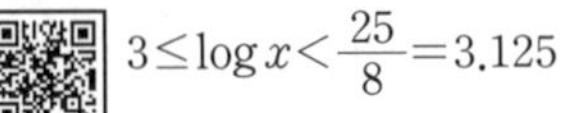

$3\le\log x<\frac{25}{8}=3.125$

$15\le\log y^5<16$이므로

$3\le\log y<\frac{16}{5}=3.2$

$\therefore 6\le\log x+\log y<6.325$

즉, $\log xy=6.\times\times\times$이므로 xy는 7자리의 자연수이다.

$\therefore n=7$

18 그림과 같이 함수 $y=f(x)$의 그래프는 원점과 점 $A(1, 1)$을 지나며, 직선 OA의 기울기는 1이다.

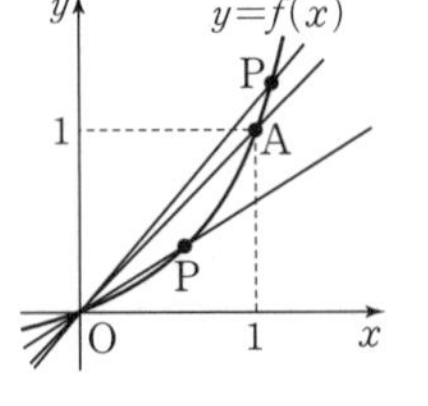

곡선 $y=f(x)$ 위를 움직이는 점 P에 대하여 직선 OP의 기울기를 비교하면

ㄱ. $x>1$이면 직선 OP의 기울기는

$\frac{f(x)}{x}>1$ (참)

ㄴ. $0<x<1$이면 직선 OP의 기울기는 $0<\frac{f(x)}{x}<1$ (참)

ㄷ. $x<0$이면 직선 OP의 기울기는 $\frac{f(x)}{x}>0$ (거짓)

따라서 옳은 것은 ㄱ, ㄴ이다.

19 $4^x=2^{2x}=2$이므로

주어진 식의 분모, 분자에 2^x을 곱하면

$\frac{2^x(8^x+8^{-x})}{2^x(2^x+2^{-x})}=\frac{2^x(2^{3x}+2^{-3x})}{2^x(2^x+2^{-x})}=\frac{2^{4x}+2^{-2x}}{2^{2x}+1}$ ……㉮

$=\frac{(2^{2x})^2+(2^{2x})^{-1}}{2^{2x}+1}$

$=\frac{2^2+\frac{1}{2}}{2+1}=\frac{\frac{9}{2}}{3}$

$=\frac{9}{6}=\frac{3}{2}$ ……㉯

채점 기준	배점
㉮ 분모, 분자에 2^x 곱하기	3점
㉯ 답 구하기	3점

20 각 θ를 나타내는 동경과 각 7θ를 나타내는 동경이 일직선 위에 있고 방향이 반대이므로

$7\theta-\theta=2n\pi+\pi$ (단, n은 정수)

$6\theta=(2n+1)\pi$

$\therefore \theta=\frac{2n+1}{6}\pi$ ……㉮

이때, $\frac{\pi}{2}<\theta<\pi$이므로 $\frac{\pi}{2}<\frac{2n+1}{6}\pi<\pi$

$\therefore 1<n<\frac{5}{2}$ ……㉯

즉, $n=2$이므로 $\theta=\frac{5}{6}\pi$ ……㉰

$\therefore \cos\left(\theta-\frac{2}{3}\pi\right)=\cos\left(\frac{5}{6}\pi-\frac{2}{3}\pi\right)$

$=\cos\frac{\pi}{6}=\frac{\sqrt{3}}{2}$ ……㉱

채점 기준	배점
㉮ $\theta=\frac{2n+1}{6}\pi$ 구하기	2점
㉯ $1<n<\frac{5}{2}$ 구하기	1점
㉰ $\theta=\frac{5}{6}\pi$ 구하기	1점
㉱ 답 구하기	2점

핵심 포인트

두 동경이 나타내는 각의 크기가 각각 α, β일 때,
(1) 일치 ➡ $\alpha-\beta=2n\pi$
(2) 일직선상에 있고 방향이 반대 ➡ $\alpha-\beta=2n\pi+\pi$
(3) x축에 대하여 대칭 ➡ $\alpha+\beta=2n\pi$
(4) y축에 대하여 대칭 ➡ $\alpha+\beta=2n\pi+\pi$
(5) 직선 $y=x$에 대하여 대칭 ➡ $\alpha+\beta=2n\pi+\frac{\pi}{2}$

21 $z=2x^{2\alpha}y^{1+\alpha}$ ……㉠

작업 인원수가 $8x$, 기계 가동률이 $4y$, 제품 생산량이 $16z$이므로

$16z=2(8x)^{2\alpha}(4y)^{1+\alpha}$ ……㉡ ……㉮

㉡÷㉠을 하면 ……㉯

$16=8^{2\alpha}\times4^{1+\alpha}=2^{6\alpha}\times2^{2(1+\alpha)}=2^{8\alpha+2}$에서

$2^{8\alpha+2}=2^4$이므로

$8\alpha+2=4$

$\therefore \alpha=\frac{1}{4}$ ……㉰

채점 기준	배점
㉮ 주어진 조건을 이용해 식 세우기	2점
㉯ ㉡÷㉠ 하기	2점
㉰ 답 구하기	2점

22 자연수 m에 대하여 $3^{m-1}\le k<3^m$일 때,

$[\log_3 k]=m-1$이므로

$[\log_3 1]=[\log_3 2]=0$

$\therefore [\log_3 1]+[\log_3 2]=0$ ……㉮

$[\log_3 3]=[\log_3 4]=[\log_3 5]=\cdots=[\log_3 8]=1$

$\therefore [\log_3 3]+[\log_3 4]+[\log_3 5]+\cdots+[\log_3 8]$

$=1\times(8-2)=6$ ……㉯

$[\log_3 3^2]=[\log_3 10]=[\log_3 11]=\cdots=[\log_3 26]=2$

$\therefore [\log_3 3^2]+[\log_3 10]+[\log_3 11]+\cdots+[\log_3 26]$

$=2\times(26-8)=36$ ……㉰

$[\log_3 3^3]=[\log_3 28]=[\log_3 29]=\cdots=[\log_3 80]=3$

$\therefore [\log_3 3^3]+[\log_3 28]+[\log_3 29]+\cdots+[\log_3 80]$

$=3\times(80-26)=162$ ……㉱

$\therefore [\log_3 1]+[\log_3 2]+[\log_3 3]+[\log_3 4]+\cdots+[\log_3 80]$

$=6+36+162=204$ ……㉲

채점 기준	배점
㉮ $[\log_3 1]+[\log_3 2]=0$ 구하기	1점
㉯ $[\log_3 3]+[\log_3 4]+[\log_3 5]+\cdots+[\log_3 8]=6$ 구하기	2점
㉰ $[\log_3 3^2]+[\log_3 10]+[\log_3 11]+\cdots+[\log_3 26]=36$ 구하기	2점
㉱ $[\log_3 3^3]+[\log_3 28]+[\log_3 29]+\cdots+[\log_3 80]=162$ 구하기	2점
㉲ 답 구하기	1점

핵심 포인트

양수 M과 정수 n에 대하여 $a^n\le M<a^{n+1}$ $(a>0,\ a\ne1)$일 때,
➡ $\log_a a^n\le\log_a M<\log_a a^{n+1}$ $\therefore n\le\log_a M<n+1$
(1) ($\log_a M$의 정수 부분)$=n$
(2) ($\log_a M$의 소수 부분)$=\log_a M-n$

23 두 곡선 $y=2^{x+1}$, $y=\log_3(x+1)+1$이 y축과 만나는 점의 좌표는 각각 $\mathrm{A}(0,2)$, $\mathrm{B}(0,1)$ ……㉮

점 C의 y좌표는 2이므로

$\log_3(x+1)+1=2$

$\log_3(x+1)=1$

$x+1=3$ $\therefore x=2$

$\therefore \mathrm{C}(2,2)$ ……㉯

점 D의 y좌표는 1이므로

$2^{x+1}=1$

$\therefore x=-1$

$\therefore \mathrm{D}(-1,1)$ ……㉰

따라서 $\overline{\mathrm{AC}}=2$, $\overline{\mathrm{DB}}=1$, $\overline{\mathrm{AB}}=1$이므로

사각형 ADBC의 넓이는

$\frac{1}{2}\times(\overline{\mathrm{AC}}+\overline{\mathrm{DB}})\times\overline{\mathrm{AB}}=\frac{1}{2}\times(2+1)\times1=\frac{3}{2}$ ……㉱

채점 기준	배점
㉮ $\mathrm{A}(0,2)$, $\mathrm{B}(0,1)$ 구하기	2점
㉯ $\mathrm{C}(2,2)$ 구하기	2점
㉰ $\mathrm{D}(-1,1)$ 구하기	2점
㉱ 답 구하기	2점

20○○학년도 2학년 1학기 중간고사(3회)

01 ④	**02** ④	**03** ③	**04** ⑤	**05** ③
06 ②	**07** ②	**08** ③	**09** ⑤	**10** ④
11 ④	**12** ②	**13** ③	**14** ⑤	**15** ②
16 ②	**17** ③	**18** ④	**19** 11	**20** $\frac{9}{20}$
21 13시간	**22** 13	**23** (1) (2, −3) (2) 32		

01 ① $\log 713=\log(7.13\times 10^2)=\log 7.13+\log 10^2$
$=0.8531+2=2.8531$
② $\log 0.0713=\log(7.13\times 10^{-2})=\log 7.13+\log 10^{-2}$
$=0.8531-2=-1.1469$
③ $\log 71.3=\log(7.13\times 10)=\log 7.13+\log 10$
$=0.8531+1=1.8531$
④ $\log 71300=\log(7.13\times 10^4)=\log 7.13+\log 10^4$
$=0.8531+4=4.8531$
⑤ $\log 0.00713=\log(7.13\times 10^{-3})=\log 7.13+\log 10^{-3}$
$=0.8531-3=-2.1469$
따라서 옳지 않은 것은 ④이다.

02 ④ 그래프는 점 (2, 4)를 지난다.

> 핵심 포인트
> 로그함수 $y=\log_a(x-m)+n$ $(a>0, a\neq 1)$에서
> (1) 정의역: $\{x|x>m\}$
> (2) 점근선의 방정식: $x=m$

03 $\log_2 5\sqrt{3}+\log_2\frac{12}{5}-\log_2 3\sqrt{3}$
$=\log_2\left(5\sqrt{3}\times\frac{12}{5}\right)-\log_2 3\sqrt{3}$
$=\log_2 12\sqrt{3}-\log_2 3\sqrt{3}=\log_2\frac{12\sqrt{3}}{3\sqrt{3}}$
$=\log_2 4=\log_2 2^2=2$

04 $x=\sqrt[8]{2}-\frac{1}{\sqrt[8]{2}}=2^{\frac{1}{8}}-2^{-\frac{1}{8}}$이므로
$x^2+4=(2^{\frac{1}{8}}-2^{-\frac{1}{8}})^2+4=2^{\frac{1}{4}}+2+2^{-\frac{1}{4}}=(2^{\frac{1}{8}}+2^{-\frac{1}{8}})^2$
$\therefore \sqrt{x^2+4}=\sqrt{(2^{\frac{1}{8}}+2^{-\frac{1}{8}})^2}=2^{\frac{1}{8}}+2^{-\frac{1}{8}}=\sqrt[8]{2}+\frac{1}{\sqrt[8]{2}}$

05 $2^x=36$에서 $2=36^{\frac{1}{x}}$ ······ ㉠
$3^y=36$에서 $3=36^{\frac{1}{y}}$ ······ ㉡
㉠×㉡을 하면
$2\times 3=36^{\frac{1}{x}}\times 36^{\frac{1}{y}}=36^{\frac{1}{x}+\frac{1}{y}}$
$6=36^{\frac{1}{x}+\frac{1}{y}}=6^{2\left(\frac{1}{x}+\frac{1}{y}\right)}$
$\therefore \frac{1}{x}+\frac{1}{y}=\frac{1}{2}$

06 부채꼴의 반지름의 길이를 r, 중심각의 크기를 θ, 호의 길이를 l, 넓이를 S라 하면
$l=\frac{2}{3}\pi$, $S=\frac{8}{3}\pi$이므로 $S=\frac{1}{2}rl$에서
$\frac{8}{3}\pi=\frac{1}{2}\times r\times\frac{2}{3}\pi$
$\therefore r=8$
또 $l=r\theta$에서 $\frac{2}{3}\pi=8\times\theta$
$\therefore \theta=\frac{\pi}{12}$

07 $\overline{OP}=\sqrt{5^2+(-12)^2}=13$이므로
$\sin\theta=-\frac{12}{13}$, $\cos\theta=\frac{5}{13}$
$\therefore 13(\sin\theta+\cos\theta)$
$=13\times\left(-\frac{12}{13}+\frac{5}{13}\right)$
$=-7$

08 $\log 10<\log 15<\log 100$에서 $1<\log 15<2$이므로
$x=1$, $y=\log 15-1=\log\frac{15}{10}=\log\frac{3}{2}$
$\therefore 10^x+10^{-y}=10^1+10^{-\log\frac{3}{2}}$
$=10+10^{\log\frac{2}{3}}$
$=10+\frac{2}{3}=\frac{32}{3}$

09 $x^2-2(2+\log_3 a)x+1=0$이 실근을 가져야 하므로 판별식을 D라 하면
$\frac{D}{4}=(2+\log_3 a)^2-1\geq 0$
$(\log_3 a)^2+4\log_3 a+3\geq 0$
진수의 조건에서 $a>0$ ······ ㉠
$\log_3 a=t$로 놓으면 $t^2+4t+3\geq 0$
$(t+3)(t+1)\geq 0$
$\therefore t\leq -3$ 또는 $t\geq -1$
즉, $\log_3 a\leq -3$ 또는 $\log_3 a\geq -1$이므로
$a\leq\frac{1}{27}$ 또는 $a\geq\frac{1}{3}$ ······ ㉡
㉠, ㉡의 공통 범위를 구하면
$0<a\leq\frac{1}{27}$ 또는 $a\geq\frac{1}{3}$

10 이차방정식 $x^2-kx+3=0$의 두 근이 $\frac{1}{\sin\theta}$, $\frac{1}{\cos\theta}$이므로
근과 계수의 관계에 의하여
$\frac{1}{\sin\theta}+\frac{1}{\cos\theta}=k$ ······ ㉠
$\frac{1}{\sin\theta}\times\frac{1}{\cos\theta}=3$ $\therefore \sin\theta\cos\theta=\frac{1}{3}$ ······ ㉡
㉠에서
$\frac{1}{\sin\theta}+\frac{1}{\cos\theta}=\frac{\sin\theta+\cos\theta}{\sin\theta\cos\theta}$
$=3(\sin\theta+\cos\theta)=k$ ($\because$ ㉡)

$\therefore k^2=9(\sin^2\theta+2\sin\theta\cos\theta+\cos^2\theta)$

$=9\left(1+2\times\frac{1}{3}\right)$

$=15$

11 $2^{2x+1}-9\times2^{x-1}+1\le0$에서 $2(2^x)^2-\frac{9}{2}\times2^x+1\le0$

$2^x=t\ (t>0)$로 놓으면

$2t^2-\frac{9}{2}t+1\le0$, $4t^2-9t+2\le0$

$(4t-1)(t-2)\le0$

$\therefore \frac{1}{4}\le t\le2$

즉, $2^{-2}\le2^x\le2^1$이므로 $-2\le x\le1$

따라서 구하는 정수 x의 개수는 -2, -1, 0, 1의 4이다.

12 $\frac{b}{a}=x$라 하면

$2^{\frac{b}{a}}\times2^{\frac{a}{b}}=2^x\times2^{\frac{1}{x}}=2^{x+\frac{1}{x}}=2^{2\sqrt{2}}$

$\therefore x+\frac{1}{x}=2\sqrt{2}$

$\frac{b}{a}-\frac{a}{b}=x-\frac{1}{x}=\sqrt{\left(x-\frac{1}{x}\right)^2}$

$=\sqrt{\left(x+\frac{1}{x}\right)^2-4}$

$=\sqrt{(2\sqrt{2})^2-4}=2$

$\therefore 4^{\frac{b}{a}-\frac{a}{b}}=4^2=16$

13 $\log_a x=X$로 놓으면 $-1<X<0$이고,

$A=X^2$, $B=2X$, $C=-X$이므로

(i) $A-B=X^2-2X=X(X-2)>0$ $\quad\therefore A>B$

(ii) $A-C=X^2+X=X(X+1)<0$ $\quad\therefore A<C$

(i), (ii)에서 $B<A<C$

14 $P=0.03$일 때, $S=110.4$이므로

$110.4=20\log\frac{0.03}{k}=20\log\frac{3}{10^2k}$

$=20\{\log3-(2+\log k)\}$

$=20(0.48-2-\log k)$

$=-30.4-20\log k$

$\therefore \log k=-7.04$

따라서 $P=0.0972$일 때,

$S=20\log\frac{0.0972}{k}=20\log\frac{972}{10^4k}$

$=20\{2\log2+5\log3-(4+\log k)\}$

$=20(2\times0.30+5\times0.48-4+7.04)$

$=120.8$

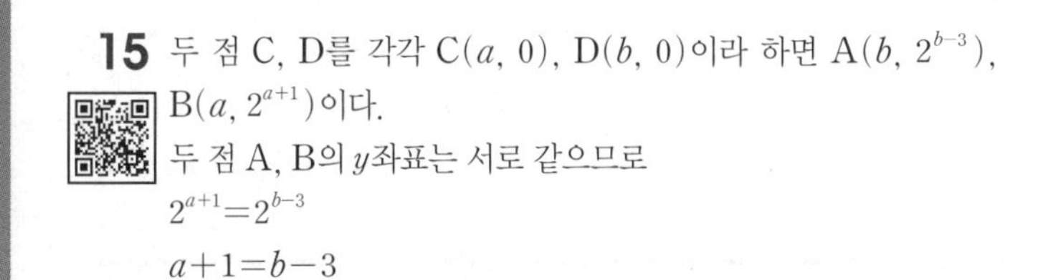

15 두 점 C, D를 각각 $C(a,\ 0)$, $D(b,\ 0)$이라 하면 $A(b,\ 2^{b-3})$, $B(a,\ 2^{a+1})$이다.

두 점 A, B의 y좌표는 서로 같으므로

$2^{a+1}=2^{b-3}$

$a+1=b-3$

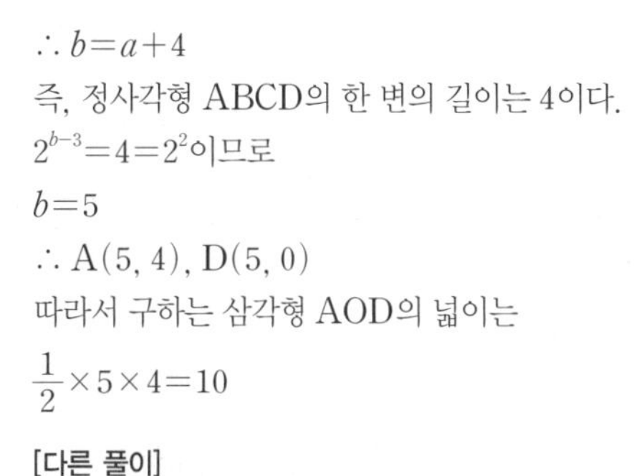

$\therefore b=a+4$

즉, 정사각형 ABCD의 한 변의 길이는 4이다.

$2^{b-3}=4=2^2$이므로

$b=5$

$\therefore A(5,\ 4)$, $D(5,\ 0)$

따라서 구하는 삼각형 AOD의 넓이는

$\frac{1}{2}\times5\times4=10$

[다른 풀이]

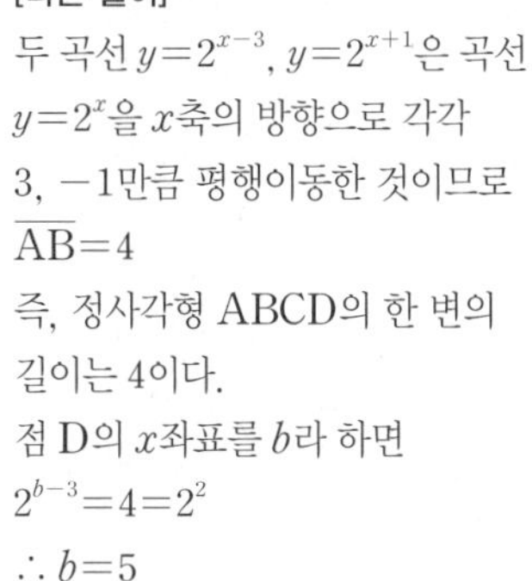

두 곡선 $y=2^{x-3}$, $y=2^{x+1}$은 곡선 $y=2^x$을 x축의 방향으로 각각 3, -1만큼 평행이동한 것이므로

$\overline{AB}=4$

즉, 정사각형 ABCD의 한 변의 길이는 4이다.

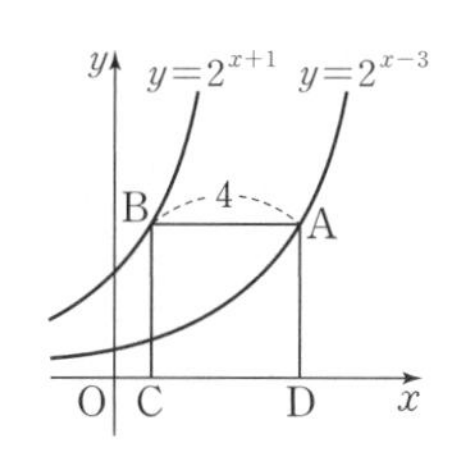

점 D의 x좌표를 b라 하면

$2^{b-3}=4=2^2$

$\therefore b=5$

16 진수의 조건에서 $x>0$ $\quad\cdots\cdots$ ㉠

$x^{\log x}-\frac{100}{x}=0$에서 $x^{\log x}=\frac{100}{x}$

양변에 상용로그를 취하면

$\log x^{\log x}=\log\frac{100}{x}$

$\log x\times\log x=\log100-\log x$

$(\log x)^2+\log x-2=0$

이때, $\log x=t$로 놓으면

$t^2+t-2=0$

$(t+2)(t-1)=0$

$\therefore t=-2$ 또는 $t=1$

즉, $\log x=-2$ 또는 $\log x=1$이므로

$x=\frac{1}{100}$ 또는 $x=10$

$x=\frac{1}{100}$, $x=10$은 모두 ㉠을 만족시키므로 구하는 해이다.

따라서 모든 근의 곱은

$\frac{1}{100}\times10=\frac{1}{10}$

17 ㄱ. $f\left(\frac{1}{16}\right)=\log\left(2\times\frac{1}{16}\right)$

$=\log\frac{1}{8}$

$=-\log8$

$=-f(4)$ (참)

ㄴ. $f(x)+f(y)=\log2x+\log2y$

$=\log4xy$

$=f(2xy)$ (참)

ㄷ. $f(x^2)=\log2x^2$,

$2f(x)=2\log2x=\log(2x)^2$

$\therefore f(x^2)\ne2f(x)$ (거짓)

따라서 옳은 것은 ㄱ, ㄴ이다.

18 $f(x)=x^2-6x+1=(x-3)^2-8$이므로

$1\le x\le 4$에서 $-8\le f(x)\le -4$

(i) $0<a<1$일 때,

x의 값이 증가하면 $g(x)$의 값은 감소하므로 $(g\circ f)(x)$는 $f(x)=-8$일 때 최댓값을 갖고, $f(x)=-4$일 때 최솟값을 갖는다.

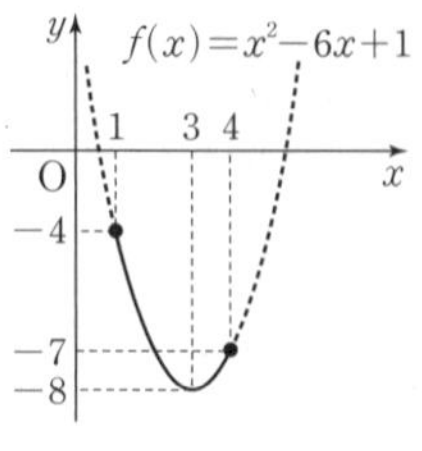

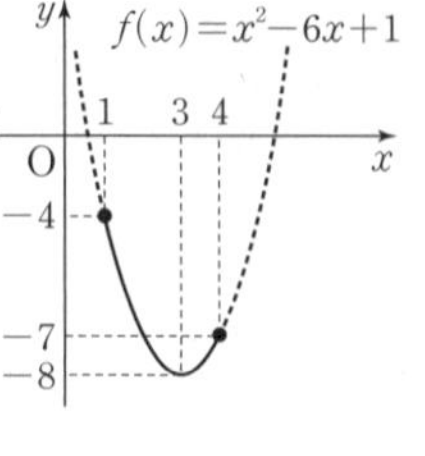

즉, $a^{-8}=16$이므로 $a=2^{-\frac{1}{2}}$

$\therefore m=a^{-4}=(2^{-\frac{1}{2}})^{-4}=4$

(ii) $a>1$일 때, x의 값이 증가하면 $g(x)$의 값도 증가하므로 $(g\circ f)(x)$는 $f(x)=-4$일 때 최댓값을 갖고, $f(x)=-8$일 때 최솟값을 갖는다.

즉, $a^{-4}=16$이므로 $a=\dfrac{1}{2}$

그런데 $\dfrac{1}{2}<1$이므로 $a>1$이라는 조건에 모순이다.

(i), (ii)에서 $(g\circ f)(x)$의 최솟값 m은 4이다.

핵심 포인트

지수함수 $y=a^{f(x)}$의 최대 · 최소를 구할 때는 주어진 범위에서 $f(x)$의 최댓값과 최솟값을 구한 후, a의 값의 범위에 따라 다음을 이용한다.

(1) $a>1$이면 $f(x)$가 최대일 때 최댓값, $f(x)$가 최소일 때 최솟값을 갖는다.

(2) $0<x<1$이면 $f(x)$가 최대일 때 최솟값, $f(x)$가 최소일 때 최댓값을 갖는다.

19 $\sqrt[4]{a\sqrt[3]{a\sqrt{a}}}=\sqrt[4]{a}\times\sqrt[4]{\sqrt[3]{a}}\times\sqrt[4]{\sqrt[3]{\sqrt{a}}}$

$=\sqrt[4]{a}\times\sqrt[12]{a}\times\sqrt[24]{a}$

$=a^{\frac{1}{4}}\times a^{\frac{1}{12}}\times a^{\frac{1}{24}}$

$=a^{\frac{1}{4}+\frac{1}{12}+\frac{1}{24}}=a^{\frac{3}{8}}$ ……㉮

$\therefore m+n=8+3=11$ ……㉯

채점 기준	배점
㉮ 주어진 식 간단히 하기	4점
㉯ 답 구하기	2점

20 $\log_2 20=\log_2(2^2\times5)=2+\log_2 5$이므로

주어진 이차방정식은

$x^2+(2+\log_2 5)x+2\log_2 5=0$

$(x+2)(x+\log_2 5)=0$

$\therefore x=-2$ 또는 $x=-\log_2 5$ ……㉮

$\therefore 2^\alpha+2^\beta=2^{-2}+2^{-\log_2 5}$

$=\dfrac{1}{4}+\dfrac{1}{5}=\dfrac{9}{20}$ ……㉯

채점 기준	배점
㉮ $x=-2$ 또는 $x=-\log_2 5$ 구하기	3점
㉯ 답 구하기	3점

21 t시간 후의 박테리아의 수는 4×2^t이므로

$4\times2^t\ge32000$ ……㉮

$2^t\ge8000$

양변에 상용로그를 취하면

$t\log2\ge\log(2^3\times10^3)=3\log2+3$

$0.3t\ge3.9\quad\therefore t\ge13$ ……㉯

따라서 32000마리 이상이 되기까지 걸리는 최소 시간은 13시간이다. ……㉰

채점 기준	배점
㉮ 주어진 조건을 이용하여 부등식 세우기	2점
㉯ $t\ge13$ 구하기	2점
㉰ 답 구하기	2점

22 $2^{f(x)g(x)}\le8^{g(x)}$에서 $2^{f(x)g(x)}\le2^{3g(x)}$

$f(x)g(x)\le3g(x)\qquad\therefore \{f(x)-3\}g(x)\le0$ ……㉮

(i) $f(x)-3\ge0,\ g(x)\le0$인 경우 $x\le1$ ……㉯

(ii) $f(x)-3\le0,\ g(x)\ge0$인 경우 $3\le x\le5$ ……㉰

(i), (ii)에서 조건을 만족시키는 모든 자연수는 1, 3, 4, 5이므로

구하는 합은 $1+3+4+5=13$ ……㉱

채점 기준	배점
㉮ $\{f(x)-3\}g(x)\le0$ 구하기	2점
㉯ $x\le1$ 구하기	2점
㉰ $3\le x\le5$ 구하기	2점
㉱ 답 구하기	2점

23 (1) 함수 $y=\log_a(x-1)-3$의 그래프는 a의 값에 관계없이 항상 점 $(2,\ -3)$을 지난다. ……㉮

(2) 함수 $y=\log_a(x-1)-3$의 그래프가 점 $(2,\ -3)$을 지나므로 삼각형 ABC와 만나려면 $a>1$ ……㉯

즉, $y=\log_a(x-1)-3$은 x의 값이 증가하면 y의 값도 증가한다.

(i) 그래프가 점 $B(5,\ -1)$을 지날 때, $\log_a4-3=-1$, $\log_a4=2$

$a^2=4\qquad\therefore a=2\ (\because a>1)$ ……㉰

(ii) 그래프가 점 $C(3,\ 3)$을 지날 때,

$\log_a2-3=3$, $\log_a2=6$

$a^6=2\qquad\therefore a=2^{\frac{1}{6}}$ ……㉱

(i), (ii)에서 a의 최댓값 $M=2$, 최솟값 $N=2^{\frac{1}{6}}$이므로

$\left(\dfrac{M}{N}\right)^6=\left(\dfrac{2}{2^{\frac{1}{6}}}\right)^6=2^5=32$ ……㉲

채점 기준	배점
㉮ $(2,\ -3)$ 구하기	2점
㉯ 그래프가 삼각형 ABC와 만나기 위한 조건 찾기	1점
㉰ $a=2$ 구하기	2점
㉱ $a=2^{\frac{1}{6}}$ 구하기	2점
㉲ 답 구하기	1점

20○○학년도 2학년 1학기 중간고사(4회)

01 ⑤	02 ③	03 ④	04 ①	05 ④
06 ②	07 ③	08 ③	09 ③	10 ②
11 ③	12 ④	13 ⑤	14 ②	15 ②
16 ①	17 ⑤	18 ②	19 15	20 16
21 80	22 3	23 $\frac{75}{16}\log_3 4$		

01 ① 9의 제곱근을 x라 하면 $x^2=9$에서
$x^2-9=0$, $(x+3)(x-3)=0$
$\therefore x=-3$ 또는 $x=3$
즉, 9의 제곱근은 -3, 3이다.
② 제곱근 25는 $\sqrt{25}=5$이다.
③ $(-1)^2=1\neq-1$이므로 -1은 -1의 제곱근이 아니다.
④ 81의 네제곱근을 x라 하면 $x^4=81$에서
$x^4-81=0$, $(x^2-9)(x^2+9)=0$
$(x+3)(x-3)(x^2+9)=0$
$\therefore x=-3$ 또는 $x=3$ 또는 $x=-3i$ 또는 $x=3i$
즉, 81의 네제곱근 중에서 실수인 것은 -3, 3이다.
⑤ -27의 세제곱근을 x라 하면 $x^3=-27$에서
$x^3+27=0$, $(x+3)(x^2-3x+9)=0$
$\therefore x=-3$ 또는 $x=\frac{3\pm3\sqrt{3}i}{2}$
즉, -27의 세제곱근 중에서 실수인 것은 -3이다.
따라서 옳은 것은 ⑤이다.

핵심 포인트

실수 a의 n제곱근 중에서 실수인 것은 다음과 같다.

n \ a	$a>0$	$a=0$	$a<0$
n이 홀수	$\sqrt[n]{a}$	0	$\sqrt[n]{a}$
n이 짝수	$\sqrt[n]{a}$, $-\sqrt[n]{a}$	0	없다.

02 $2^{-x+5}=4^{x-2}$에서 $2^{-x+5}=(2^2)^{x-2}$
$2^{-x+5}=2^{2(x-2)}$, $2^{-x+5}=2^{2x-4}$
$-x+5=2x-4$이므로 $x=3$
$\therefore a=3$

03 $(a^{\sqrt{3}})^{2\sqrt{3}}\div a^2\times(\sqrt[3]{a})^9=a^6\div a^2\times a^3$
$=a^7=a^k$
$\therefore k=7$

04 $2^x\times2^y=2^{x+y}=8=2^3$에서 $x+y=3$
$(2^x)^y=2^{xy}=16=2^4$에서 $xy=4$
$\therefore 2^{x^2}\times2^{y^2}=2^{x^2+y^2}=2^{(x+y)^2-2xy}$
$=2^{3^2-2\times4}=2^{9-8}=2$

05 $\log_{\sqrt{3}}a=2$에서 $a=(\sqrt{3})^2=3$
$\log_{\frac{1}{3}}27=b$에서 $\left(\frac{1}{3}\right)^b=27$, $3^{-b}=3^3$ $\quad\therefore b=-3$
$\therefore \log_a b^4=\log_3(-3)^4=\log_3 81=4$

06 $\log 45=\log(5\times3^2)$
$=\log5+\log3^2$
$=\log\frac{10}{2}+2\log3$
$=1-\log2+2\log3$
$=1-a+2b$
$=-a+2b+1$

07 지수함수 $f(x)=\left(\frac{1}{2}\right)^x$의 그래프는 그림과 같다.

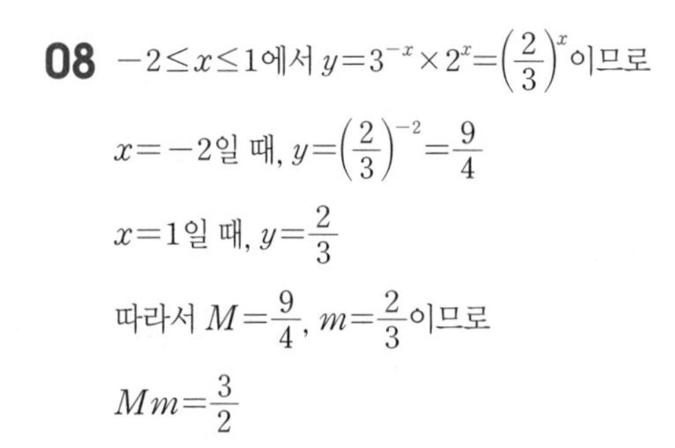

ㄱ. $f(0)=\left(\frac{1}{2}\right)^0=1$이므로 그래프는 점 $(0, 1)$을 지난다. (참)
ㄴ. 그래프의 점근선의 방정식은 $y=0$이다. (참)
ㄷ. x의 값이 증가할 때, y의 값은 감소하므로 두 실수 a, b에 대하여 $a<b$이면 $f(a)>f(b)$이다. (거짓)
따라서 옳은 것은 ㄱ, ㄴ이다.

08 $-2\le x\le1$에서 $y=3^{-x}\times2^x=\left(\frac{2}{3}\right)^x$이므로
$x=-2$일 때, $y=\left(\frac{2}{3}\right)^{-2}=\frac{9}{4}$
$x=1$일 때, $y=\frac{2}{3}$
따라서 $M=\frac{9}{4}$, $m=\frac{2}{3}$이므로
$Mm=\frac{3}{2}$

09 각 θ의 동경과 각 5θ의 동경이 일치하므로
$5\theta-\theta=2n\pi$ (단, n은 정수) $\quad\therefore \theta=\frac{n}{2}\pi$
$0<\theta<2\pi$에서 $0<\frac{n}{2}\pi<2\pi$이므로
$0<n<4$
$\therefore n=1$ 또는 $n=2$ 또는 $n=3$ ($\because n$은 정수)
$n=1$일 때, $\theta=\frac{\pi}{2}$
$n=2$일 때, $\theta=\pi$
$n=3$일 때, $\theta=\frac{3}{2}\pi$
$\therefore \frac{\pi}{2}+\pi+\frac{3}{2}\pi=3\pi$

10 부채꼴의 반지름의 길이를 r, 중심각의 크기를 θ, 넓이를 S라 하면
$S=\frac{1}{2}r^2\theta=\frac{1}{2}\times4^2\times\frac{\pi}{4}=2\pi$
이때, 구하는 원의 반지름의 길이를 x라 하면 원의 넓이와 부채꼴의 넓이가 같아야 하므로
$\pi x^2=2\pi$ $\quad\therefore x=\sqrt{2}$ ($\because x>0$)

11 $\tan\theta+\dfrac{1}{\tan\theta}=-2$에서

$\tan^2\theta+2\tan\theta+1=0$

$(\tan\theta+1)^2=0 \quad \therefore \tan\theta=-1$

이때, $\tan\theta=\dfrac{\sin\theta}{\cos\theta}=-1$이므로

$\sin\theta=-\cos\theta$

$\therefore \sin\theta+\cos\theta=0$

[다른 풀이]

$\tan\theta+\dfrac{1}{\tan\theta}=\dfrac{\sin\theta}{\cos\theta}+\dfrac{\cos\theta}{\sin\theta}=\dfrac{\sin^2\theta+\cos^2\theta}{\sin\theta\cos\theta}=-2$에서

$\sin^2\theta+2\sin\theta\cos\theta+\cos^2\theta=0$

$(\sin\theta+\cos\theta)^2=0 \quad \therefore \sin\theta+\cos\theta=0$

12 $\dfrac{\sqrt{\sin\theta}}{\sqrt{\cos\theta}}=-\sqrt{\tan\theta}$에서

$\dfrac{\sqrt{\sin\theta}}{\sqrt{\cos\theta}}=-\sqrt{\dfrac{\sin\theta}{\cos\theta}}$이므로

$\sin\theta>0$, $\cos\theta<0$, 즉 $1+\sin\theta>0$, $\cos\theta-\sin\theta<0$

$\therefore |\sin\theta|-\sqrt{\cos^2\theta}+|1+\sin\theta|+\sqrt{(\cos\theta-\sin\theta)^2}$

$=\sin\theta+\cos\theta+(1+\sin\theta)-(\cos\theta-\sin\theta)$

$=1+3\sin\theta$

핵심 포인트

두 실수 a, b에 대하여

(1) $\sqrt{a}\sqrt{b}=-\sqrt{ab}$ 이면 $a<0$, $b<0$ 또는 $a=0$ 또는 $b=0$

(2) $\dfrac{\sqrt{a}}{\sqrt{b}}=-\sqrt{\dfrac{a}{b}}$ 이면 $a>0$, $b<0$ 또는 $a=0$, $b\neq0$

13 함수 $y=2^x$의 그래프를 x축의 방향으로 a만큼, y축의 방향으로 b만큼 평행이동하면 $y=2^{x-a}+b$

$y=2^{x-a}+b$의 그래프를 직선 $y=x$에 대하여 대칭이동하면

$x=2^{y-a}+b$

$2^{y-a}=x-b$

$y-a=\log_2(x-b)$

$\therefore y=\log_2(x-b)+a$

따라서 $a=3$, $b=4$이므로 $ab=12$

14 $2^{\frac{x}{2}}=2^{\frac{1}{2}\log_{\sqrt{2}}(\sqrt{2}+1)}=2^{\log_2(\sqrt{2}+1)}=\sqrt{2}+1$

$2^{-\frac{y}{2}}=2^{-\frac{1}{2}\log_2(\sqrt{2}+1)^2}=2^{-\log_2(\sqrt{2}+1)}=2^{\log_2\frac{1}{\sqrt{2}+1}}$

$=\dfrac{1}{\sqrt{2}+1}=\sqrt{2}-1$

$\therefore 2^{\frac{x}{2}}+2^{-\frac{y}{2}}=(\sqrt{2}+1)+(\sqrt{2}-1)=2\sqrt{2}$

15 모든 실수 x에 대하여 주어진 부등식이 성립해야 하므로 x에 대한 이차방정식 $x^2+2(2^a+1)x-3(2^a-5)=0$의 판별식을 D라 하면 $D<0$이어야 한다. 즉,

$\dfrac{D}{4}=(2^a+1)^2+3(2^a-5)<0$

$2^a=t$ $(t>0)$로 놓으면

$(t+1)^2+3(t-5)<0$, $t^2+5t-14<0$

$(t+7)(t-2)<0$

$\therefore 0<t<2$ $(\because t>0)$

즉, $2^a<2$이므로 $a<1$

16 $R=20$이면 $t=1$일 때 $T=80$이고, $t=6$일 때 $T=50$이므로

$80=20+k\times10^m$에서 $60=k\times10^m$ ······㉠

$50=20+k\times10^{6m}$에서 $30=k\times10^{6m}$ ······㉡

㉡÷㉠을 하면 $10^{5m}=\dfrac{1}{2}$

$\therefore 10^m=\sqrt[5]{\dfrac{1}{2}}=\sqrt[5]{0.5}=0.87$

㉠에서 $k=\dfrac{60}{0.87}=68.965\cdots$

따라서 처음 물의 온도는 $R+k=88.965\cdots$이므로 약 89 ℃이다.

17 점 P의 좌표는 $\mathrm{P}(5, \log_2 4)$, 즉 $\mathrm{P}(5, 2)$

점 Q의 y좌표가 5이므로 x좌표는

$\log_2(x-1)=5$에서 $x-1=2^5 \quad \therefore x=33$

$\therefore \mathrm{Q}(33, 5)$

그런데 두 점 S, R는 각각 두 점 P, Q를 직선 $y=x$에 대하여 대칭이동한 점이므로

$\mathrm{S}(2, 5)$, $\mathrm{R}(5, 33)$

따라서 사각형 PQRS의 넓이는

$\dfrac{1}{2}\times\overline{\mathrm{PR}}\times\overline{\mathrm{QS}}=\dfrac{1}{2}\times31\times31=\dfrac{961}{2}$

18 $\log\dfrac{A^3}{B^2}=6+\alpha$ (단, $0\le\alpha<1$) ······㉠

$\log\dfrac{B^2}{A}=-4+\beta$ (단, $0\le\beta<1$) ······㉡

로 놓고, ㉠+㉡을 하면

$2\log A=2+\alpha+\beta$

$\therefore \log A=1+\dfrac{\alpha+\beta}{2}$ $\left(\text{단, } 0\le\dfrac{\alpha+\beta}{2}<1\right)$

따라서 A의 정수 부분은 2자리이다.

19 $36=2^2\times3^2=a^mb^n=2^{\frac{2m}{3}}\times3^{\frac{n}{6}}$에서

$\dfrac{2m}{3}=2$, $\dfrac{n}{6}=2$

$\therefore m=3$, $n=12$ ······㉮

$\therefore m+n=15$ ······㉯

채점 기준	배점
㉮ $m=3$, $n=12$ 구하기	3점
㉯ 답 구하기	3점

20 (i) $\log_2|x-4|<4$에서 $\log_2|x-4|<\log_2 16$

밑 2는 1보다 크므로 $|x-4|<16$

$-16<x-4<16 \quad \therefore -12<x<20$ ······㉠

그런데 진수의 조건에서 $|x-4|>0$

$\therefore x\neq4$ ······㉡

㉠, ㉡에서 $-12<x<4$ 또는 $4<x<20$ ……㉮

(ii) $\log_2(x-1)+\log_2(x+3)\geq 2+\log_2 3$에서

$\log_2(x-1)(x+3)\geq \log_2 12$

밑 2는 1보다 크므로 $(x-1)(x+3)\geq 12$

$x^2+2x-15\geq 0$, $(x+5)(x-3)\geq 0$

$\therefore x\leq -5$ 또는 $x\geq 3$ ……㉢

그런데 진수의 조건에서 $x-1>0$, $x+3>0$

$\therefore x>1$ ……㉣

㉢, ㉣에서 $x\geq 3$ ……㉯

(i), (ii)에서 $3\leq x<4$ 또는 $4<x<20$이므로 구하는 정수 x의 개수는 16이다. ……㉰

채점 기준	배점
㉮ $-12<x<4$ 또는 $4<x<20$ 구하기	2점
㉯ $x\geq 3$ 구하기	2점
㉰ 답 구하기	2점

21 주어진 조건식을 C로 나누면

$\dfrac{k}{C}=\dfrac{\log t_2-\log t_1}{T_2-T_1}$ ……㉮

(i) $t_1=10$일 때, $T_1=200$,

$t_2=20$일 때, $T_2=202$이므로

$\dfrac{k}{C}=\dfrac{\log 20-\log 10}{202-200}=\dfrac{\log 2}{2}$ ……㉯

(ii) $t_1=20$일 때, $T_1=202$,

$t_2=x$일 때, $T_2=206$이므로

$\dfrac{k}{C}=\dfrac{\log x-\log 20}{206-202}=\dfrac{\log\frac{x}{20}}{4}$ ……㉰

(i), (ii)에서 $\dfrac{\log\frac{x}{20}}{4}=\dfrac{\log 2}{2}$이므로

$\log\dfrac{x}{20}=2\log 2$, $\dfrac{x}{20}=4$

$\therefore x=80$ ……㉱

채점 기준	배점
㉮ 주어진 조건식을 C로 나누기	1점
㉯ $\dfrac{k}{C}=\dfrac{\log 2}{2}$ 구하기	2점
㉰ $\dfrac{k}{C}=\dfrac{\log\frac{x}{20}}{4}$ 구하기	2점
㉱ 답 구하기	1점

22 $x+y=a+3a^{\frac{1}{3}}b^{\frac{2}{3}}+3a^{\frac{2}{3}}b^{\frac{1}{3}}+b$

$=(a^{\frac{1}{3}}+b^{\frac{1}{3}})^3$ ……㉮

$x-y=a+3a^{\frac{1}{3}}b^{\frac{2}{3}}-3a^{\frac{2}{3}}b^{\frac{1}{3}}-b$

$=(a^{\frac{1}{3}}-b^{\frac{1}{3}})^3$ ……㉯

이므로

$\log_2\{(x+y)^{\frac{2}{3}}+(x-y)^{\frac{2}{3}}\}$

$=\log_2\{(a^{\frac{1}{3}}+b^{\frac{1}{3}})^2+(a^{\frac{1}{3}}-b^{\frac{1}{3}})^2\}$

$=\log_2 2(a^{\frac{2}{3}}+b^{\frac{2}{3}})=\log_2 8=\log_2 2^3=3$ ……㉰

채점 기준	배점
㉮ $x+y=(a^{\frac{1}{3}}+b^{\frac{1}{3}})^3$ 구하기	2점
㉯ $x-y=(a^{\frac{1}{3}}-b^{\frac{1}{3}})^3$ 구하기	2점
㉰ 답 구하기	4점

23 두 점 A, B는 곡선 $y=\log_3 x$ 위의 점이고, 두 점 C, D는 곡선 $y=-\log_3 x$ 위의 점이다.

두 점 C, D의 x좌표를 각각 a, b라 하면

$\log_3 2=-\log_3 a$에서 $\dfrac{1}{a}=2$

$\therefore a=\dfrac{1}{2}$ ……㉮

$\log_3 8=-\log_3 b$에서 $\dfrac{1}{b}=8$

$\therefore b=\dfrac{1}{8}$ ……㉯

$\therefore \overline{AC}=2-\dfrac{1}{2}=\dfrac{3}{2}$, $\overline{BD}=8-\dfrac{1}{8}=\dfrac{63}{8}$ ……㉰

따라서 사각형 ABDC의 넓이는

$\dfrac{1}{2}\left(\dfrac{3}{2}+\dfrac{63}{8}\right)(\log_3 8-\log_3 2)=\dfrac{75}{16}\log_3 4$ ……㉱

채점 기준	배점
㉮ $a=\dfrac{1}{2}$ 구하기	2점
㉯ $b=\dfrac{1}{8}$ 구하기	2점
㉰ $\overline{AC}=\dfrac{3}{2}$, $\overline{BD}=\dfrac{63}{8}$ 구하기	2점
㉱ 답 구하기	2점

20○○학년도 2학년 1학기 중간고사(5회)

01 ②	02 ⑤	03 ③	04 ⑤	05 ④
06 ④	07 ③	08 ②	09 ④	10 ⑤
11 ②	12 ④	13 ⑤	14 ①	15 ③
16 ④	17 ③	18 ②		
19 (1) 2π (2) 3π (3) $\frac{2\sqrt{2}}{3}\pi$		20 12	21 243	
22 12	23 5			

01 $\log 0.0238 = \log(2.38\times10^{-2})$
$= \log 2.38 + \log 10^{-2}$
$= 0.3766 - 2$
$= -1.6234$

> **핵심 포인트**
> 상용로그표에 없는 상용로그의 값 구하기
> 임의의 양수 N은 10의 거듭제곱을 사용하여
> $N = a\times10^n$ ($1\le a<10$, n은 정수)
> 꼴로 나타낼 수 있다.
> 위의 식의 양변에 상용로그를 취하면
> $\log N = \log(a\times10^n) = \log a + \log 10^n = n + \log a$
> 이므로 이를 이용하여 상용로그표에 없는 양수의 상용로그의 값을 구할 수 있다.

02 $\log_2(\log_x 16) = 1$에서 $\log_x 16 = 2^1 = 2$
$\therefore x^2 = 16$
$\therefore x = 4$ ($\because x>0$)

03 $6^{\frac{5}{3}}\times2^{\frac{4}{3}}\times3^{-\frac{2}{3}} = (2\times3)^{\frac{5}{3}}\times2^{\frac{4}{3}}\times3^{-\frac{2}{3}}$
$= 2^{\frac{5}{3}}\times3^{\frac{5}{3}}\times2^{\frac{4}{3}}\times3^{-\frac{2}{3}}$
$= 2^{\frac{5}{3}+\frac{4}{3}}\times3^{\frac{5}{3}-\frac{2}{3}} = 2^3\times3^1 = 24$

04 $y=16^x$에서 $y=4^{2x}$이므로 $y=4^{2x}$의 그래프를 x축의 방향으로 m만큼, y축의 방향으로 n만큼 평행이동하면
$y=4^{2(x-m)}+n \quad \therefore y=4^{-2m}\times4^{2x}+n$
이 그래프가 $y=\frac{1}{16}\times4^{2x}+8$의 그래프와 일치하므로
$4^{-2m}=\frac{1}{16}=4^{-2}$, $n=8$
$\therefore m=1, n=8$
$\therefore m+n=9$

05 $4^{x+1}-9\times2^x+2\le0$에서 $4(2^x)^2-9\times2^x+2\le0$
$2^x=t$ ($t>0$)로 놓으면
$4t^2-9t+2\le0$, $(4t-1)(t-2)\le0$
$\therefore \frac{1}{4}\le t\le2$
즉, $\frac{1}{4}\le2^x\le2$이므로 $-2\le x\le1$
따라서 구하는 정수 x의 개수는 $-2, -1, 0, 1$의 4이다.

06 각 θ가 제3사분면의 각이므로
$2n\pi+\pi<\theta<2n\pi+\frac{3}{2}\pi$ (단, n은 정수)
각 변을 2로 나누면
$n\pi+\frac{\pi}{2}<\frac{\theta}{2}<n\pi+\frac{3}{4}\pi$
(i) $n=2k$ (k는 정수)일 때,
$2k\pi+\frac{\pi}{2}<\frac{\theta}{2}<2k\pi+\frac{3}{4}\pi$
즉, 각 $\frac{\theta}{2}$는 제2사분면의 각이다.
(ii) $n=2k+1$ (k는 정수)일 때,
$2k\pi+\frac{3}{2}\pi<\frac{\theta}{2}<2k\pi+\frac{7}{4}\pi$
즉, 각 $\frac{\theta}{2}$는 제4사분면의 각이다.
(i), (ii)에서 각 $\frac{\theta}{2}$를 나타내는 동경이 존재할 수 있는 사분면은 제2사분면 또는 제4사분면이다.

07 θ는 제2사분면의 각이므로
$\cos\theta<0$
$\therefore \cos\theta=-\frac{3}{5}$

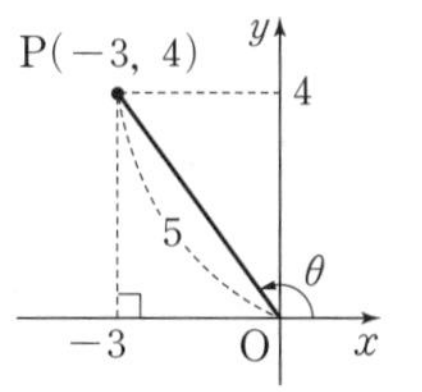

08 $(\sqrt[4]{2^5})^{\frac{1}{2}}=\left(2^{\frac{5}{4}}\right)^{\frac{1}{2}}=2^{\frac{5}{8}}$이고
이것을 n제곱근으로 갖는 자연수를 N이라 하면
$N=2^{\frac{5}{8}n}$
N은 자연수이므로 n은 8의 배수이어야 하고
$2\le n\le100$에서 $n=8k$ ($k=1, 2, 3, \cdots, 12$)
따라서 조건을 만족시키는 n의 개수는 12이다.

[다른 풀이]
$(\sqrt[4]{2^5})^{\frac{1}{2}}=\left(2^{\frac{5}{4}}\right)^{\frac{1}{2}}=2^{\frac{5}{8}}$이고,
$2^{\frac{5}{8}}=(2^5)^{\frac{1}{8}}=(2^{10})^{\frac{1}{16}}=(2^{15})^{\frac{1}{24}}=\cdots=(2^{60})^{\frac{1}{96}}$이므로
$(\sqrt[4]{2^5})^{\frac{1}{2}}$은 2^5의 8제곱근, 2^{10}의 16제곱근, 2^{15}의 24제곱근, $\cdots$, 2^{60}의 96제곱근과 같다.
따라서 구하는 n의 개수는 8, 16, 24, $\cdots$, 96의 12이다.

09 $2^{2x}=(\sqrt{\sqrt{3}+\sqrt{2}}+\sqrt{\sqrt{3}-\sqrt{2}})^2$
$=(\sqrt{3}+\sqrt{2})+(\sqrt{3}-\sqrt{2})+2\sqrt{(\sqrt{3})^2-(\sqrt{2})^2}$
$=2\sqrt{3}+2$
이므로
$2^{2x-1}=\frac{2^{2x}}{2}=\frac{2\sqrt{3}+2}{2}=\sqrt{3}+1$
$2^{-2x+2}=\frac{2^2}{2^{2x}}=\frac{4}{2\sqrt{3}+2}=\frac{2(\sqrt{3}-1)}{(\sqrt{3}+1)(\sqrt{3}-1)}=\sqrt{3}-1$
$\therefore 2^{2x-1}+2^{-2x+2}=(\sqrt{3}+1)+(\sqrt{3}-1)=2\sqrt{3}$

10 $a^6=3$, $b^5=7$, $c^2=11$에서 $a=3^{\frac{1}{6}}$, $b=7^{\frac{1}{5}}$, $c=11^{\frac{1}{2}}$이므로

$(abc)^n=(3^{\frac{1}{6}}\times7^{\frac{1}{5}}\times11^{\frac{1}{2}})^n=3^{\frac{n}{6}}\times7^{\frac{n}{5}}\times11^{\frac{n}{2}}$

$3^{\frac{n}{6}}\times7^{\frac{n}{5}}\times11^{\frac{n}{2}}$이 자연수가 되도록 하는 자연수 n은 6, 5, 2의 공배수이므로 $n=30, 60, 90, \cdots$

따라서 자연수 n의 최솟값은 30이다.

11 $12^x=125$에서 $x=\log_{12}125$, $9^y=225$에서 $y=\log_9 225$

$3^{\frac{y-1}{x}}$의 지수 부분을 간단히 하면

$\frac{y-1}{x}=\frac{\log_9 225-1}{\log_{12}125}=\frac{(1+\log_3 5)-1}{3\log_{12}5}$

$=\frac{\log_3 5}{3\log_{12}5}=\frac{\log_5 12}{3\log_5 3}=\frac{1}{3}\log_3 12$

$\therefore 3^{\frac{y-1}{x}}=3^{\frac{1}{3}\log_3 12}=12^{\frac{1}{3}}=\sqrt[3]{12}$

12 $\log 2015$의 정수 부분은 3, 소수 부분은

$\log 2015-3=\log 2015-\log 10^3=\log 2.015$

이차방정식 $x^2-ax+b=0$의 두 근이 3과 $\log 2.015$이므로 근과 계수의 관계에 의하여

$a=3+\log 2.015$, $b=3\log 2.015$

$\therefore 3a-b=3(3+\log 2.015)-3\log 2.015=9$

13 두 함수의 그래프가 직선 $y=x$에 대하여 대칭이므로 두 함수는 서로 역함수 관계이다.

$y=2^{ax}$에서 x와 y를 서로 바꾸면

$x=2^{ay}$, $ay=\log_2 x$ $\quad\therefore y=\frac{1}{a}\log_2 x$ …… ㉠

㉠이 $y=\frac{a}{100}\log_2 x$와 일치하므로

$\frac{1}{a}\log_2 x=\frac{a}{100}\log_2 x$

$\frac{1}{a}=\frac{a}{100}$, $a^2=100$ $\quad\therefore a=10\ (\because a>0)$

14 진수의 조건에서 $x>0$ …… ㉠

$x^{\log_{\frac{1}{2}}x}\ge\frac{1}{16}$의 양변에 밑이 $\frac{1}{2}$인 로그를 취하면

$\log_{\frac{1}{2}}x^{\log_{\frac{1}{2}}x}\le\log_{\frac{1}{2}}\frac{1}{16}$, $(\log_{\frac{1}{2}}x)^2\le4$

$\log_{\frac{1}{2}}x=t$로 놓으면 $t^2\le4$

$(t+2)(t-2)\le0$ $\quad\therefore -2\le t\le2$

즉, $-2\le\log_{\frac{1}{2}}x\le2$이므로 $\frac{1}{4}\le x\le4$ …… ㉡

㉠, ㉡의 공통 범위를 구하면 $\frac{1}{4}\le x\le4$

15 진수의 조건에서 $x>0$ …… ㉠

$(\log_{16}x^2)^2-5\log_{16}x+1=0$에서

$(2\log_{16}x)^2-5\log_{16}x+1=0$

이때, $\log_{16}x=t$로 놓으면

$(2t)^2-5t+1=0$

$4t^2-5t+1=0$, $(4t-1)(t-1)=0$

$\therefore t=\frac{1}{4}$ 또는 $t=1$

즉, $\log_{16}x=\frac{1}{4}$ 또는 $\log_{16}x=1$이므로

$x=2$ 또는 $x=16$ …… ㉡

㉠, ㉡에서 $x=2$ 또는 $x=16$

$\therefore \alpha=16$, $\beta=2\ (\because \alpha>\beta)$

$\therefore \alpha-\beta=14$

16 두 별 A, B의 절대등급을 M이라 하고, 지구로부터 B별까지의 거리를 r라 하면 지구로부터 A별까지의 거리는 $50r$이므로

$M=a+5-5\log 50r=b+5-5\log r$

$a-b=5\log 50r-5\log r=5(\log 50+\log r-\log r)$

$=5\log 50=5\log\frac{100}{2}=5(2-\log 2)=5(2-0.3)$

$=5\times1.7=8.5$

$\therefore 2(a-b)=17$

17 ㄱ. $y=f(x)$의 그래프를 y축에 대하여 대칭이동하면

$y=a^{-x}+a^x=f(x)$이므로 $y=f(x)$의 그래프는 y축에 대하여 대칭이다. (참)

ㄴ. $f(2x)=a^{2x}+a^{-2x}=(a^x)^2+(a^{-x})^2$

$=(a^x+a^{-x})^2-2=\{f(x)\}^2-2$ (참)

ㄷ. $a^x>0$, $a^{-x}>0$이므로 산술평균과 기하평균의 관계에 의하여

$a^x+a^{-x}\ge2\sqrt{a^x\times a^{-x}}=2$

(단, 등호는 $a^x=a^{-x}$, 즉 $x=0$일 때 성립한다.)

즉, $y=f(x)$의 최솟값은 2이다. (거짓)

따라서 옳은 것은 ㄱ, ㄴ이다.

> **핵심 포인트**
>
> 산술평균과 기하평균의 관계
>
> $a>0$, $b>0$일 때,
>
> $\frac{a+b}{2}\ge\sqrt{ab}$ (단, 등호는 $a=b$일 때 성립한다.)

18 $10\theta=360°$에서 $5\theta=180°$이므로

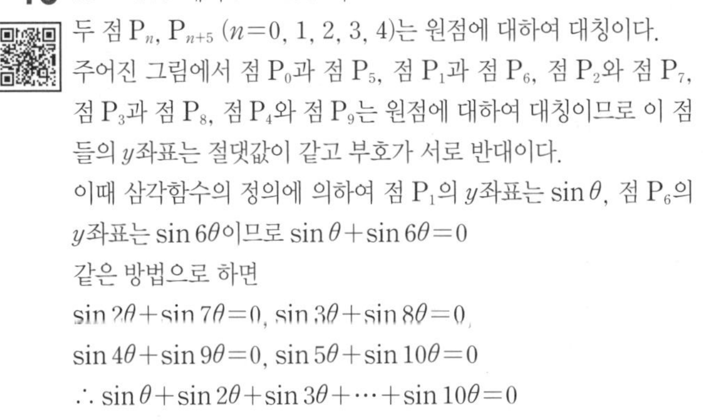

두 점 P_n, P_{n+5} ($n=0, 1, 2, 3, 4$)는 원점에 대하여 대칭이다.

주어진 그림에서 점 P_0과 점 P_5, 점 P_1과 점 P_6, 점 P_2와 점 P_7, 점 P_3과 점 P_8, 점 P_4와 점 P_9는 원점에 대하여 대칭이므로 이 점들의 y좌표는 절댓값이 같고 부호가 서로 반대이다.

이때 삼각함수의 정의에 의하여 점 P_1의 y좌표는 $\sin\theta$, 점 P_6의 y좌표는 $\sin6\theta$이므로 $\sin\theta+\sin6\theta=0$

같은 방법으로 하면

$\sin2\theta+\sin7\theta=0$, $\sin3\theta+\sin8\theta=0$,

$\sin4\theta+\sin9\theta=0$, $\sin5\theta+\sin10\theta=0$

$\therefore \sin\theta+\sin2\theta+\sin3\theta+\cdots+\sin10\theta=0$

19 부채꼴의 반지름의 길이를 r, 중심각의 크기를 θ, 호의 길이를 l이라 하면

$r=3$, $\theta=\frac{2}{3}\pi$이므로

(1) $l=r\theta=3\times\frac{2}{3}\pi=2\pi$ …… ㉮

(2) 부채꼴의 넓이는 $\frac{1}{2}rl=\frac{1}{2}\times3\times2\pi=3\pi$ …… ㉯

(3) 부채꼴의 호의 길이는 부채꼴로 만들어지는 원뿔의 밑면인 원의 둘레의 길이와 같다.

원뿔의 밑면의 반지름의 길이를 r',
높이를 h라 하면

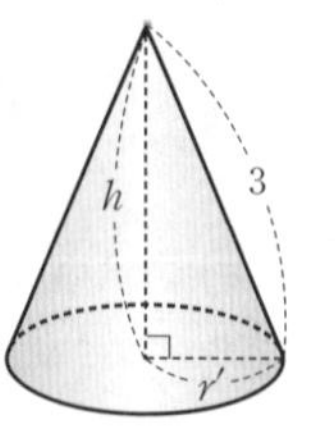

$2\pi r'=2\pi \qquad \therefore r'=1$

$\therefore h=\sqrt{3^2-1^2}=2\sqrt{2}$

따라서 구하는 부피는

$\frac{1}{3}\pi\times1^2\times2\sqrt{2}=\frac{2\sqrt{2}}{3}\pi$ ……㉰

채점 기준	배점
㉮ $l=2\pi$ 구하기	2점
㉯ $\frac{1}{2}rl=3\pi$ 구하기	2점
㉰ 원뿔의 부피 구하기	2점

20 $a\log_3 2=4$에서 $a=\frac{4}{\log_3 2}$ ……㉮

$\log_3 b=1-\log_3(\log_2 3)=\log_3\frac{3}{\log_2 3}$이므로

$b=\frac{3}{\log_2 3}$ ……㉯

$\therefore ab=\frac{4}{\log_3 2}\times\frac{3}{\log_2 3}=4\log_2 3\times\frac{3}{\log_2 3}=12$ ……㉰

채점 기준	배점
㉮ $a=\frac{4}{\log_3 2}$ 구하기	2점
㉯ $b=\frac{3}{\log_2 3}$ 구하기	2점
㉰ 답 구하기	2점

21 $f(x)=ax^{-2+\log_3 x}$의 양변에 밑이 3인 로그를 취하면

$\log_3 f(x)=\log_3 a+\log_3 x^{-2+\log_3 x}$

$=\log_3 a+(-2+\log_3 x)\log_3 x$

$=(\log_3 x)^2-2\log_3 x+\log_3 a$ ……㉮

에서 $\log_3 x=t$로 놓으면

$\log_3 f(x)=t^2-2t+\log_3 a=(t-1)^2+\log_3 a-1$ ……㉠

$\frac{1}{3}\le x\le3$에서 $\log_3\frac{1}{3}\le\log_3 x\le\log_3 3$

$\therefore -1\le t\le1$ ……㉯

$-1\le t\le1$에서 ㉠은 $t=-1$일 때 최댓값 $\log_3 a+3$을, $t=1$일 때 최솟값 $\log_3 a-1$을 갖는다.

$f(x)$의 최솟값이 3이므로 $\log_3 3=\log_3 a-1$

$\log_3 a=2 \qquad \therefore a=9$ ……㉰

$\log_3 f(x)$의 최댓값이 $\log_3 a+3=\log_3 9+3=5$이므로

$f(x)$의 최댓값은 $3^5=243$ ……㉱

채점 기준	배점
㉮ $\log_3 f(x)=(\log_3 x)^2-2\log_3 x+\log_3 a$ 구하기	2점
㉯ $-1\le t\le1$ 구하기	1점
㉰ $a=9$ 구하기	2점
㉱ 답 구하기	1점

22 $t=0$일 때, $M(0)=ar^0+24=124$

$\therefore a=100$ ……㉮

$t=1$일 때, $M(1)=ar^1+24=100r+24=64$

$\therefore r=\frac{2}{5}$ ……㉯

$\therefore M(t)=100\left(\frac{2}{5}\right)^t+24$

$100\left(\frac{2}{5}\right)^t+24\le24.001$에서

$\left(\frac{2}{5}\right)^t\le10^{-5}$

양변에 상용로그를 취하면

$\log\left(\frac{2}{5}\right)^t\le\log10^{-5}$

$t\log\frac{4}{10}\le-5,\ t(2\log2-1)\le-5$

$\therefore t\ge\frac{5}{0.398}=12.\times\times\times$ ……㉰

따라서 $12<t<13$이므로 구하는 n의 값은 12이다. ……㉱

채점 기준	배점
㉮ $a=100$ 구하기	2점
㉯ $r=\frac{2}{5}$ 구하기	2점
㉰ $t\ge\frac{5}{0.398}=12.\times\times\times$ 구하기	2점
㉱ 답 구하기	2점

23 점 A의 좌표를 $(k,\ a\log_2 k)$라 하면

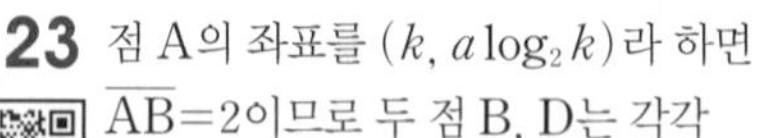

$\overline{AB}=2$이므로 두 점 B, D는 각각

$B(k+2,\ a\log_2 k),\ D(k+2,\ a\log_2(k+2))$

사각형 ABCD의 넓이는

$\frac{1}{2}\times2\times2+\frac{1}{2}\times2\times\overline{CD}=3$

$\therefore \overline{CD}=1$

따라서 점 C의 좌표는 $C(k+3,\ a\log_2(k+2))$ ……㉮

$y=2^{x-b}$에 두 점 $B(k+2,\ a\log_2 k),\ C(k+3,\ a\log_2(k+2))$를 각각 대입하면

$2^{k+2-b}=a\log_2 k$ ……㉠

$2^{k+3-b}=a\log_2(k+2)$ ……㉡

㉠의 양변에 2를 곱하면

$2^{k+3-b}=2a\log_2 k=a\log_2(k+2)$ ($\because$ ㉡)

$2a\log_2 k=a\log_2(k+2)$이므로 $k^2=k+2$

$k^2-k-2=0,\ (k-2)(k+1)=0$

$\therefore k=2$ ($\because k>0$) ……㉢ ……㉯

따라서 $B(4,\ a),\ D(4,\ 2a)$이므로

$\overline{BD}=a=2$ ……㉣ ……㉰

㉢, ㉣을 ㉠에 대입하면

$2^{4-b}=2\log_2 2=2 \qquad \therefore b=3$ ……㉱

$\therefore a+b=2+3=5$ ……㉲

채점 기준	배점
㉮ 네 점 A, B, C, D의 좌표 구하기	2점
㉯ $k=2$ 구하기	2점
㉰ $a=2$ 구하기	2점
㉱ $b=3$ 구하기	1점
㉲ 답 구하기	1점

20○○학년도 2학년 1학기 중간고사(6회)

01 ③	02 ①	03 ④	04 ③	05 ②
06 ⑤	07 ③	08 ④	09 ③	10 ⑤
11 ②	12 ①	13 ③	14 ⑤	15 ①
16 ④	17 ②	18 ⑤	19 16	20 8
21 $\log_{10} 1.1$		22 11	23 3	

01 $(2^{\frac{6}{5}})^2\times2^{\frac{8}{5}}\div(2^2)^{\frac{1}{2}}=2^{\frac{12}{5}}\times2^{\frac{8}{5}}\div2$

$=2^{\frac{12}{5}+\frac{8}{5}-1}=2^3=8$

02 $\left(\frac{1}{2}\right)^{-3x}=2^{x^2-4}$에서 $2^{3x}=2^{x^2-4}$

$3x=x^2-4$

$x^2-3x-4=0$

$(x+1)(x-4)=0$

$\therefore x=-1$ 또는 $x=4$

$\therefore \alpha\beta=-4$

03 $\log_{\frac{1}{2}}(\log_5(\log_3 x))=0$에서

$\log_5(\log_3 x)=1$

$\log_3 x=5$

$\therefore x=3^5=243$

04 양수 5의 5제곱근 중에서 실수인 것은 $\sqrt[5]{5}$의 1개이다.

$\therefore f(5, 5)=1$

양수 9의 4제곱근 중에서 실수인 것은 $-\sqrt[4]{9}$, $\sqrt[4]{9}$의 2개이다.

$\therefore f(9, 4)=2$

음수 -5의 3제곱근 중에서 실수인 것은 $\sqrt[3]{-5}$의 1개이다.

$\therefore f(-5, 3)=1$

음수 -9의 4제곱근 중에서 실수인 것은 없으므로

$f(-9, 4)=0$

$\therefore f(5, 5)+f(9, 4)+f(-5, 3)+f(-9, 4)$

$=1+2+1+0=4$

05 (i) $\sin\theta\cos\theta<0$에서

$\sin\theta>0$, $\cos\theta<0$ 또는 $\sin\theta<0$, $\cos\theta>0$

이므로 θ는 제2사분면 또는 제4사분면의 각이다.

(ii) $\cos\theta\tan\theta>0$에서

$\cos\theta>0$, $\tan\theta>0$ 또는 $\cos\theta<0$, $\tan\theta<0$

이므로 θ는 제1사분면 또는 제2사분면의 각이다.

(i), (ii)에서 θ는 제2사분면의 각이다.

06 $A=100^{\frac{1}{6}}$, $B=5^{\frac{1}{2}}$, $C=\sqrt[3]{\sqrt{30}}=30^{\frac{1}{6}}$이고

세 수 A, B, C의 지수의 분모 6, 2, 6의 최소공배수가 6이므로

$A=100^{\frac{1}{6}}$

$B=5^{\frac{1}{2}}=5^{\frac{3}{6}}=(5^3)^{\frac{1}{6}}=125^{\frac{1}{6}}$

$C=30^{\frac{1}{6}}$

세 수의 밑의 크기를 비교하면 $30<100<125$이므로

$30^{\frac{1}{6}}<100^{\frac{1}{6}}<125^{\frac{1}{6}}$

$\therefore C<A<B$

07 $\log 3^{20}=20\log 3=20\times0.4771=9.542$

따라서 $\log 3^{20}$의 정수 부분이 9이므로 3^{20}은 10자리의 정수이다.

08 ㄱ. 로그의 진수의 조건에서

$x-2>0$, 즉 $x>2$이므로 함수 $f(x)=\log_3(x-2)+1$의 정의역은 $\{x\,|\,x>2\}$이다. (거짓)

ㄴ. 로그함수 $y=\log_3 x$의 밑 3은 1보다 크므로 함수 $y=f(x)$는 x의 값이 증가하면 y의 값도 증가한다.

즉, $x_1<x_2$이면 $f(x_1)<f(x_2)$이다. (참)

ㄷ. 함수 $y=f(x)$의 그래프는 로그함수 $y=\log_3 x$의 그래프를 x축의 방향으로 2만큼, y축의 방향으로 1만큼 평행이동한 것이므로 점근선의 방정식은 $x=2$이다. (참)

따라서 옳은 것은 ㄴ, ㄷ이다.

09 각 θ를 나타내는 동경과 각 3θ를 나타내는 동경이 x축에 대하여 대칭이므로

$\theta+3\theta=2k\pi$ (단, k는 정수) $\quad\therefore \theta=\frac{k}{2}\pi$

$0<\theta<2\pi$이므로 $0<\frac{k}{2}\pi<2\pi$

$\therefore 0<k<4$

따라서 정수 k는 1, 2, 3이므로 각 θ는 $\frac{\pi}{2}$, π, $\frac{3}{2}\pi$

$\therefore \frac{\pi}{2}+\pi+\frac{3}{2}\pi=3\pi$

핵심 포인트

두 동경이 나타내는 각의 크기가 각각 α, β일 때,

(1) 일치 ➡ $\alpha-\beta=2n\pi$

(2) 일직선상에 있고 방향이 반대 ➡ $\alpha-\beta=2n\pi+\pi$

(3) x축에 대하여 대칭 ➡ $\alpha+\beta=2n\pi$

(4) y축에 대하여 대칭 ➡ $\alpha+\beta=2n\pi+\pi$

(5) 직선 $y=x$에 대하여 대칭 ➡ $\alpha+\beta=2n\pi+\frac{\pi}{2}$

10 $3^{a+b}=8=2^3$이므로

$9^{(a+b)(a-b)}=(3^{a+b})^{2(a-b)}=(2^3)^{2(a-b)}$

$\therefore 9^{a^2-b^2}=(2^{a-b})^6=3^6=729$

11 $b=a^{\frac{1}{2}}$, $c=b^{\frac{2}{3}}$, $a=c^3$이므로

$\log_a b+\log_b c+\log_c a=\log_a a^{\frac{1}{2}}+\log_b b^{\frac{2}{3}}+\log_c c^3$

$=\frac{1}{2}+\frac{2}{3}+3=\frac{25}{6}$

12 $y=4^x-2^{x+2}+7$

$=(2^x)^2-4\times2^x+7$

에서 $2^x=t\ (t>0)$로 놓으면

$y=t^2-4t+7$

$=(t-2)^2+3$

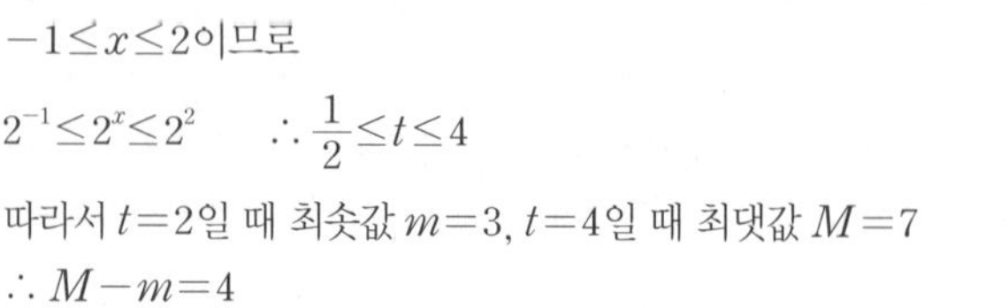

$-1\le x\le 2$이므로

$2^{-1}\le 2^x\le 2^2 \quad \therefore \frac{1}{2}\le t\le 4$

따라서 $t=2$일 때 최솟값 $m=3$, $t=4$일 때 최댓값 $M=7$

$\therefore M-m=4$

13 $6\le \log x<7$, $4\le \log y<5$

$\log\sqrt{xy}=\frac{1}{2}(\log x+\log y)$

$10\le \log x+\log y<12$

$5\le \frac{1}{2}(\log x+\log y)<6$

즉, $5\le \log\sqrt{xy}<6$

따라서 $\log\sqrt{xy}$의 정수 부분은 5이다.

14 $\sin x+\cos x=1 \quad \cdots\cdots ㉠$

㉠의 양변을 제곱하면

$1+2\sin x\cos x=1$, $\sin x\cos x=0$

$\therefore \sin x=0$ 또는 $\cos x=0$

이를 ㉠에 대입하면

$\sin x=0$, $\cos x=1$ 또는 $\sin x=1$, $\cos x=0$

$\therefore \sin^{100}x+\cos^{100}x=1$

15 $f(5)=100a^{-\frac{5}{5}}=100a^{-1}=\frac{100}{a}$

$f(10)=100a^{-\frac{10}{5}}=100a^{-2}=\frac{100}{a^2}$

$\therefore \frac{f(5)}{f(10)}=\frac{\frac{100}{a}}{\frac{100}{a^2}}=a$

따라서 타종한 후 5초가 지났을 때 소리의 크기는 이 종을 타종한 후 10초가 지났을 때 소리의 크기의 a배이다.

16 $\overline{OA}=r$라 하면 $\overline{AM}=2$이므로 $\overline{OM}=r+2$

즉, 부채꼴 OMM′의 호의 길이는

$l=(r+2)\theta$

따라서 선분 AB가 지나가는 부분의 넓이는

(부채꼴 OBB′의 넓이)$-$(부채꼴 OAA′의 넓이)

$=\frac{1}{2}(r+4)^2\theta-\frac{1}{2}r^2\theta=4(r+2)\theta=4l$

핵심 포인트

반지름의 길이가 r, 중심각의 크기가 θ인 부채꼴에서

(1) 호의 길이: $l=r\theta$

(2) 부채꼴의 넓이: $S=\frac{1}{2}rl=\frac{1}{2}r^2\theta$

17 점 $A(a, b)$가 함수 $y=2^x$의 그래프 위에 있으므로 $b=2^a$이고, 점 B는 $B(a, 4^a)$으로 놓을 수 있다.

$\overline{AB}=4^a-2^a=2^a(2^a-1)$이므로

$2^a(2^a-1)=56=8\times 7$

따라서 $2^a=8=2^3$이므로 $a=3$

18

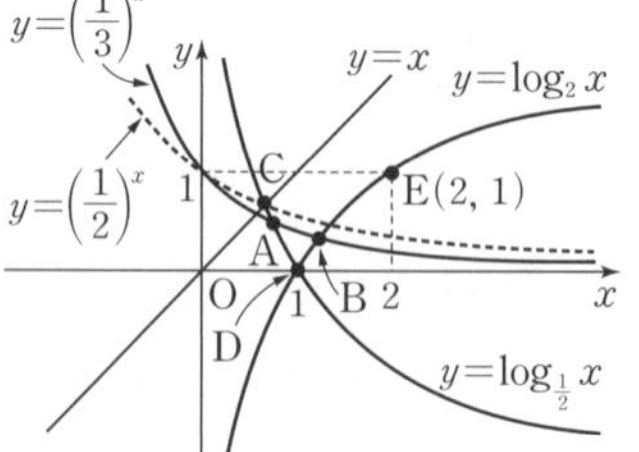

ㄱ. 두 함수 $y=\left(\frac{1}{2}\right)^x$, $y=\log_{\frac{1}{2}}x$의 그래프의 교점을 $C(x_3, y_3)$이라 하면 점 C는 직선 $y=x$ 위의 점이다.

$\therefore x_3=y_3$

그림에서 점 A는 직선 $y=x$의 아랫부분에 있으므로

$x_1>y_1$ (참)

ㄴ. 직선 OA의 기울기는 $\frac{y_1}{x_1}$이고, 직선 OB의 기울기는 $\frac{y_2}{x_2}$이므로 $\frac{y_1}{x_1}>\frac{y_2}{x_2}$

$\therefore x_1y_2<x_2y_1$ (참)

ㄷ. $x_2y_1-x_1y_2<y_1$에서 $x_2y_1-y_1<x_1y_2$, $y_1(x_2-1)<x_1y_2$

즉, $\frac{y_1}{x_1}<\frac{y_2}{x_2-1}$

함수 $y=\log_2 x$ 위의 점 E(2, 1)에 대하여 직선 DE의 기울기는 1이므로 직선 BD의 기울기는 1보다 크다.

$\therefore \frac{y_2}{x_2-1}>1$

그런데 직선 OA의 기울기는 1보다 작으므로 $\frac{y_1}{x_1}<1$

$\therefore \frac{y_1}{x_1}<\frac{y_2}{x_2-1}$ (참)

따라서 ㄱ, ㄴ, ㄷ 모두 옳다.

19 $2^{\log_2 4}\times 8^{\frac{2}{3}}=4\times(2^3)^{\frac{2}{3}} \quad \cdots\cdots ㉮$

$=4\times 4=16 \quad \cdots\cdots ㉯$

채점 기준	배점
㉮ 지수법칙과 로그의 성질 이용하기	3점
㉯ 답 구하기	3점

20 함수 $y=2^{x-1}+3$의 그래프는 함수 $y=2^x$의 그래프를 x축의 방향으로 1만큼, y축의 방향으로 3만큼 평행이동한 것이므로 점근선의 방정식은 $y=3$이다. $\cdots\cdots ㉮$

함수 $y=\log_2(4x-20)=\log_2 4(x-5)=\log_2(x-5)+2$의 그래프는 함수 $y=\log_2 x$의 그래프를 x축의 방향으로 5만큼, y축의 방향으로 2만큼 평행이동한 것이므로 점근선의 방정식은 $x=5$이다. $\cdots\cdots ㉯$

따라서 두 점근선 $y=3$, $x=5$의 교점은 $(5, 3)$이므로

$a=5$, $b=3$

$\therefore a+b=8 \quad \cdots\cdots ㉰$

채점 기준	배점
㉮ 점근선 $y=3$ 구하기	2점
㉯ 점근선 $x=5$ 구하기	2점
㉰ 답 구하기	2점

21 수소 이온의 몰수를 a라 하면 10 % 증가한 몰수는 $(1+0.1)a$이므로 그때의 pH는 ······ ㉮

$$\text{pH}=\log_{10}\frac{1}{1.1a}$$
$$=\log_{10}\frac{1}{a}+\log_{10}\frac{1}{1.1}$$
$$=\log_{10}\frac{1}{a}-\log_{10}1.1 \quad \cdots\cdots ㉯$$

따라서 수소 이온의 몰수가 10 % 증가하면 pH는 $\log_{10}1.1$만큼 감소한다. ······ ㉰

채점 기준	배점
㉮ 10 % 증가한 몰수 구하기	2점
㉯ $\text{pH}=\log_{10}\frac{1}{a}-\log_{10}1.1$ 구하기	2점
㉰ 답 구하기	2점

22 주어진 식을 정리하면

$\log_2 a+2\log_2 b+\log_2 c=4$ ······ ㉠

$\log_2 a+\log_2 b+2\log_2 c=5$ ······ ㉡

$2\log_2 a+\log_2 b+\log_2 c=7$ ······ ㉢ ······ ㉮

(㉠+㉡+㉢)÷4를 하면

$\log_2 a+\log_2 b+\log_2 c=4$ ······ ㉣ ······ ㉯

㉠−㉣을 하면 $\log_2 b=0$ $\quad\therefore b=1$

㉡−㉣을 하면 $\log_2 c=1$ $\quad\therefore c=2$

㉢−㉣을 하면 $\log_2 a=3$ $\quad\therefore a=2^3=8$

$\therefore a+b+c=11$ ······ ㉰

채점 기준	배점
㉮ 주어진 식을 ㉠, ㉡, ㉢으로 간단히 하기	3점
㉯ ㉣의 식 구하기	3점
㉰ 답 구하기	2점

23 조건 (가)에서

$\log_{\frac{1}{2}}(x+y)+1=-1$ 또는 $\log_{\frac{1}{2}}(x+y)+1=1$

$\log_{\frac{1}{2}}(x+y)=-2$ 또는 $\log_{\frac{1}{2}}(x+y)=0$에서

$x+y=\left(\frac{1}{2}\right)^{-2}$ 또는 $x+y=\left(\frac{1}{2}\right)^{0}$

$\therefore x+y=4$ 또는 $x+y=1$ ······ ㉠ ······ ㉮

조건 (나)에서

$|\log_2 x|+|\log_2 y|=|\log_2 x+\log_2 y|$

$\therefore \log_2 x\ge0,\ \log_2 y\ge0$ 또는 $\log_2 x\le0,\ \log_2 y\le0$

즉, $x\ge1,\ y\ge1$ 또는 $0<x\le1,\ 0<y\le1$ ······ ㉡ ······ ㉯

㉠, ㉡에서 점 (x, y)의 개수는 $(1, 3)$, $(2, 2)$, $(3, 1)$의 3이다. ······ ㉰

채점 기준	배점
㉮ $x+y=4$ 또는 $x+y=1$ 구하기	3점
㉯ $x\ge1,\ y\ge1$ 또는 $0<x\le1,\ 0<y\le1$ 구하기	3점
㉰ 답 구하기	2점

20○○학년도 2학년 1학기 중간고사(7회)

01 ②	02 ④	03 ③	04 ②	05 ④
06 ①	07 ③	08 ⑤	09 ②	10 ④
11 ③	12 ④	13 ①	14 ②	15 ①
16 ⑤	17 ③	18 ①	19 0.65	20 3
21 $\frac{\sqrt{17}}{2}$	22 $0<x<a$		23 $\frac{3}{2}$	

01 밑의 조건에서 $x+1>0,\ x+1\ne1$

$\therefore x>-1,\ x\ne0$ ······ ㉠

진수의 조건에서 $3-x>0$

$\therefore x<3$ ······ ㉡

㉠, ㉡의 공통 범위를 구하면 $-1<x<0$ 또는 $0<x<3$

따라서 구하는 정수 x의 개수는 1, 2의 2이다.

02 $\sqrt[4]{(-3)^4}+\sqrt[5]{-32}+\sqrt[5]{9}\sqrt[5]{27}+\sqrt[3]{\sqrt{64}}$

$=|-3|+\sqrt[5]{(-2)^5}+\sqrt[5]{9\times27}+\sqrt[6]{64}$

$=3+(-2)+\sqrt[5]{3^5}+\sqrt[6]{2^6}=3+(-2)+3+2=6$

03 $\log_a 8=3$에서 $a^3=8$

$\therefore a=2$

$\log_2 b=4$에서 $b=2^4=16$

$\therefore a+b=18$

04 원점과 점 $\text{P}(-4, 3)$에 대하여

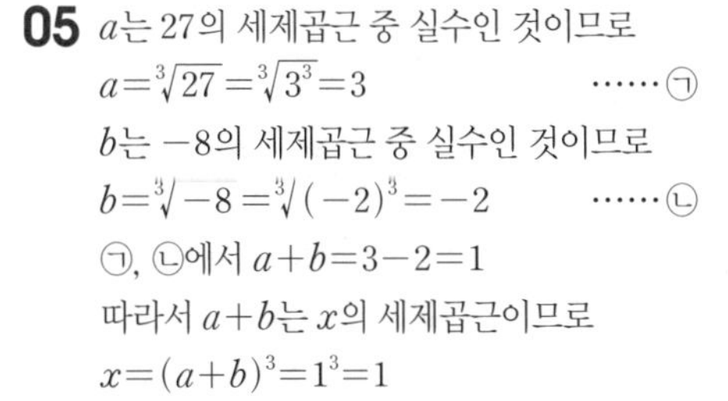

$x=-4,\ y=3,\ r=\sqrt{16+9}=5$

이므로

$$\cos\theta=\frac{x}{r}=\frac{-4}{5}=-\frac{4}{5}$$
$$\tan\theta=\frac{y}{x}=\frac{3}{-4}=-\frac{3}{4}$$

$\therefore 5\cos\theta+4\tan\theta=5\times\left(-\frac{4}{5}\right)+4\times\left(-\frac{3}{4}\right)=-7$

05 a는 27의 세제곱근 중 실수인 것이므로

$a=\sqrt[3]{27}=\sqrt[3]{3^3}=3$ ······ ㉠

b는 -8의 세제곱근 중 실수인 것이므로

$b=\sqrt[3]{-8}=\sqrt[3]{(-2)^3}=-2$ ······ ㉡

㉠, ㉡에서 $a+b=3-2=1$

따라서 $a+b$는 x의 세제곱근이므로

$x=(a+b)^3=1^3=1$

06 $(\log_2 a+2\log_4 b)\log_{\sqrt{ab}}8$

$=(\log_2 a+2\log_{2^2}b)\log_{(ab)^{\frac{1}{2}}}8$

$=\left(\log_2 a+2\times\frac{1}{2}\log_2 b\right)\times2\log_{ab}8$

$=\log_2 ab\times\log_{ab}8^2=\dfrac{\log_2 ab}{\log_2 2}\times\dfrac{\log_2 8^2}{\log_2 ab}$

$=\log_2 8^2=\log_2 2^6=6$

07 ㄱ. $10^2<441<10^3$이므로 $2<\log 441<3$
따라서 $\log 441$의 정수 부분은 2이다. (참)
ㄴ. $\log 44100$과 $\log 4.41$은 진수의 숫자 배열이 같고 소수점의 위치만 다르므로 소수 부분이 같다. (참)
ㄷ. $\log 0.000441=\log(4.41\times 10^{-4})$
$=\log 4.41+\log 10^{-4}$
$=0.6444-4\neq -4.6444$ (거짓)
따라서 옳은 것은 ㄱ, ㄴ이다.

> **핵심 포인트**
> 두 양수 M, N에 대하여
> $\log M=m+\log a$,
> $\log N=n+\log a$ (m, n은 정수, $0\le \log a<1$)
> 이면 두 진수 M, N의 숫자의 배열은 같다.

08 $y=\frac{1}{16}\times 2^x+6$에서 $y=2^{x-4}+6$
즉, 함수 $y=2^{x-4}+6$의 그래프는 함수 $y=2^x$의 그래프를 x축의 방향으로 4만큼, y축의 방향으로 6만큼 평행이동한 것이므로
$m=4$, $n=6$
$\therefore mn=24$

09 $(f\circ g)^{-1}(1)=(g^{-1}\circ f^{-1})(1)$
$=g^{-1}(f^{-1}(1))$
$f^{-1}(1)=a$라 하면 $f(a)=1$이므로
$2a-1=1 \quad \therefore a=1$
즉, $f^{-1}(1)=1$
$g^{-1}(1)=b$라 하면 $g(b)=1$이므로
$\log_2 b=1 \quad \therefore b=2$
$\therefore (f\circ g)^{-1}(1)=2$

10 $g(x)=-x^2+2x+7$로 놓으면
$g(x)=-(x-1)^2+8 \quad \cdots\cdots ㉠$
함수 $f(x)=\log_{\frac{1}{2}} g(x)$의 밑 $\frac{1}{2}$이 0보다 크고 1보다 작으므로 $g(x)$의 값이 최대일 때, $f(x)$의 값은 최소이다.
$0\le x\le 4$이므로 ㉠에서 함수 $g(x)$는 $x=1$일 때, 최댓값 8을 가지므로
$f(x)$의 최솟값은
$\log_{\frac{1}{2}} 8=\log_{2^{-1}} 2^3=-3$

11 $a^{2x}-10a^x+16=0$에서 $a^x=t$ $(t>0)$로 놓으면
$t^2-10t+16=0 \quad \cdots\cdots ㉠$
주어진 방정식의 두 근을 α, β라 하면 ㉠의 두 근은 a^α, a^β이므로
이차방정식의 근과 계수의 관계에 의하여
$a^\alpha\times a^\beta=a^{\alpha+\beta}=2^4$
$\alpha+\beta=4$이므로 $a=2$

> **핵심 포인트**
> 이차방정식 $ax^2+bx+c=0$의 두 근을 α, β라 하면
> $\alpha+\beta=-\frac{b}{a}$, $\alpha\beta=\frac{c}{a}$

12 진수의 조건에서 $x>0$, $x^2>0$
$\therefore x>0 \quad \cdots\cdots ㉠$
$(\log_2 x)^2-\log_2 x^2<3$에서
$(\log_2 x)^2-2\log_2 x-3<0$
이때, $\log_2 x=t$로 놓으면 $t^2-2t-3<0$
$(t+1)(t-3)<0$
$\therefore -1<t<3$
즉, $-1<\log_2 x<3$이므로
$\frac{1}{2}<x<8 \quad \cdots\cdots ㉡$
㉠, ㉡의 공통 범위를 구하면
$\frac{1}{2}<x<8 \quad \cdots\cdots ㉢$
$2^x-2^{5-x}\le 4$에서 $2^x-2^5\times 2^{-x}\le 4$
$2^x=s$ $(s>0)$로 놓으면
$s-\frac{32}{s}\le 4$
$s^2-4s-32\le 0$
$(s+4)(s-8)\le 0$
$\therefore 0<s\le 8$ ($\because s>0$)
즉, $0<2^x\le 8$이므로
$x\le 3 \quad \cdots\cdots ㉣$
㉢, ㉣의 공통 범위를 구하면 $\frac{1}{2}<x\le 3$
따라서 정수 x는 1, 2, 3이므로 그 합은 6이다.

13 $x^3=512^{\frac{1}{8}}=2^{\frac{9}{8}}$이므로 $x=2^{\frac{3}{8}}$
n이 자연수일 때, x^n이 자연수가 되려면 n은 8의 배수이어야 한다.
그런데 $x^{24}=2^9<1000<x^{32}=2^{12}$이므로 구하는 자연수 n의 값은 8, 16, 24이다.
따라서 모든 자연수 n의 값의 합은
$8+16+24=48$

14 방음자재 A에서 $p=-4$, $b=\frac{\sqrt{10}}{10}a$이므로
$p=k\log\frac{b}{a}$에 대입하면
$-4=k\log\frac{\sqrt{10}}{10}$
$-4=-\frac{1}{2}k \quad \therefore k=8$
$\therefore p=8\log\frac{b}{a}$
방음자재 B에서 $p=-12$이므로 $p=8\log\frac{b}{a}$에 대입하면
$-12=8\log\frac{b}{a}$, $\log\frac{b}{a}=-\frac{3}{2}$
$\therefore \frac{b}{a}=10^{-\frac{3}{2}}=\frac{1}{10\sqrt{10}}=\frac{\sqrt{10}}{100}$
따라서 방음자재 B를 통과한 음파의 세기는 통과하기 전 음파의 세기의 $\frac{\sqrt{10}}{100}$배가 된다.

15 $xyz=3^a\times3^b\times3^c=3^{a+b+c}=3^0=1$

$yz=\dfrac{1}{x},\ zx=\dfrac{1}{y},\ xy=\dfrac{1}{z}$이므로

$\log_x yz+\log_y zx+\log_z xy$

$=\log_x\dfrac{1}{x}+\log_y\dfrac{1}{y}+\log_z\dfrac{1}{z}$

$=\log_x x^{-1}+\log_y y^{-1}+\log_z z^{-1}=-3$

16 부채꼴의 반지름의 길이를 r, 중심각의 크기를 θ, 호의 길이를 l, 넓이를 S라 하면 부채꼴의 둘레의 길이가 16이므로

$2r+l=16 \qquad \therefore l=16-2r$ ……㉠

부채꼴의 넓이가 12 이상이 되어야 하므로

$S=\dfrac{1}{2}rl\geq12$ ……㉡

㉠을 ㉡에 대입하면 $\dfrac{1}{2}r(16-2r)\geq12$

$r^2-8r+12\leq0,\ (r-2)(r-6)\leq0$

$\therefore 2\leq r\leq6$

$l=r\theta$에서 $\theta=\dfrac{l}{r}=\dfrac{16-2r}{r}=\dfrac{16}{r}-2$이므로 r가 최솟값을 가질 때, θ는 최댓값을 갖는다.

따라서 $r=2$일 때, 구하는 중심각의 최댓값은

$\theta=\dfrac{16}{2}-2=6$

17 발전기 A가 가동을 시작한 후 처음 3시간, 즉 예열 단계에서 소비되는 연료의 양이 a이고, 발전 단계에서 매 3시간 동안 소비되는 연료의 양은 가동 후 그 이전까지 소비한 연료의 양과 같으므로 발전 단계에서 소비된 연료의 양을 3시간 단위로 차례로 생각하면

(i) 가동 후 3시간~6시간 동안 소비된 연료의 양 : a

(ii) 가동 후 6시간~9시간 동안 소비된 연료의 양 : $a+a=2a$

(iii) 가동 후 9시간~12시간 동안 소비된 연료의 양
 : $a+a+2a=4a$

(iv) 가동 후 12시간~15시간 동안 소비된 연료의 양
 : $a+a+2a+4a=8a$

(v) 가동 후 15시간~18시간 동안 소비된 연료의 양
 : $a+a+2a+4a+8a=16a$

발전기 A를 18시간 동안 가동하였을 때, 발전 단계에서 소비된 총 연료의 양은 (i)~(v)에서

$b=a+2a+4a+8a+16a=31a \qquad \therefore \dfrac{b}{a}=31$

$\therefore \log_2\left(\dfrac{b}{a}+1\right)=\log_2 32=5$

18 $(a, b)\in A$이면 $\left(\dfrac{1}{2}\right)^a=b$

ㄱ. $\left(\dfrac{1}{2}\right)^{a+1}=\dfrac{1}{2}\times\left(\dfrac{1}{2}\right)^a=\dfrac{b}{2}$

$\therefore \left(a+1, \dfrac{b}{2}\right)\in A$ (참)

ㄴ. $\left(\dfrac{1}{2}\right)^{2a}=\left\{\left(\dfrac{1}{2}\right)^a\right\}^2=b^2\neq2b$

$\therefore (2a, 2b)\notin A$ (거짓)

ㄷ. $\left(\dfrac{1}{2}\right)^{-2a}=\left\{\left(\dfrac{1}{2}\right)^a\right\}^{-2}=b^{-2}=\dfrac{1}{b^2}\neq\sqrt{b}$

$\therefore (-2a, \sqrt{b})\notin A$ (거짓)

따라서 옳은 것은 ㄱ뿐이다.

19 $\log_4\sqrt{6}=\dfrac{\log\sqrt{6}}{\log4}$

$=\dfrac{\frac{1}{2}(\log2+\log3)}{2\log2}$ ……㉮

$=\dfrac{\frac{1}{2}(0.30+0.48)}{2\times0.30}$

$=0.65$ ……㉯

채점 기준	배점
㉮ 로그의 성질 이용하기	3점
㉯ 답 구하기	3점

20 $9^x-10\times3^{x+1}+81<0$에서

$(3^x)^2-30\times3^x+81<0$

$3^x=t\ (t>0)$로 놓으면

$t^2-30t+81<0,\ (t-3)(t-27)<0$

$\therefore 3<t<27$ ……㉮

즉, $3<3^x<27$이므로 $1<x<3$

따라서 $\alpha=1,\ \beta=3$이므로

$\alpha\beta=3$ ……㉯

채점 기준	배점
㉮ $3<t<27$ 구하기	3점
㉯ 답 구하기	3점

21 주어진 식의 분모, 분자에 a^x을 곱하면

$\dfrac{a^x-2a^{-x}}{a^x+2a^{-x}}=\dfrac{a^x(a^x-2a^{-x})}{a^x(a^x+2a^{-x})}=\dfrac{a^{2x}-2}{a^{2x}+2}=\dfrac{1}{3}$ ……㉮

$3a^{2x}-6=a^{2x}+2 \qquad \therefore a^{2x}=4$ ……㉯

$\therefore (a^{2x}+a^{-2x})^{\frac{1}{2}}=\left(a^{2x}+\dfrac{1}{a^{2x}}\right)^{\frac{1}{2}}$

$=\left(4+\dfrac{1}{4}\right)^{\frac{1}{2}}=\left(\dfrac{17}{4}\right)^{\frac{1}{2}}$

$=\dfrac{\sqrt{17}}{2}$ ……㉰

채점 기준	배점
㉮ 분모, 분자에 a^x 곱하기	2점
㉯ $a^{2x}=4$ 구하기	2점
㉰ 답 구하기	2점

22 $2^{f(x)}<2$에서 $f(x)<1$ ……㉠

$2^{f(x)}>2^{g(x)}$에서 $f(x)>g(x)$ ……㉡ ……㉮

주어진 그래프에서

부등식 ㉠의 해는 $0<x<d$

부등식 ㉡의 해는 $x<a$ 또는 $x>d$ ……㉯

따라서 주어진 연립부등식의 해는

$0<x<a$ ……㉰

채점 기준	배점
㉮ 부등식 ㉠, ㉡ 구하기	3점
㉯ 부등식 ㉠, ㉡의 해 구하기	3점
㉰ 답 구하기	2점

23 각 3θ를 나타내는 동경과 각 5θ를 나타내는 동경이 x축에 대하여 대칭이므로

$3\theta+5\theta=2k\pi$ (단, k는 정수)

$8\theta=2k\pi \quad \therefore \theta=\frac{k}{4}\pi$ ……㉮

$0<\theta<2\pi$이므로

$0<\frac{k}{4}\pi<2\pi \quad \therefore 0<k<8$ ……㉯

따라서 정수 k는 $1, 2, \cdots, 7$이므로 각 θ는 $\frac{\pi}{4}, \frac{\pi}{2}, \cdots, \frac{7}{4}\pi$

$\therefore \theta_1=\frac{\pi}{4}, \theta_2=\frac{\pi}{2}$

$\therefore \sin^2\frac{\pi}{4}+\sin^2\frac{\pi}{2}$

$=\frac{1}{2}+1=\frac{3}{2}$ ……㉰

채점 기준	배점
㉮ $\theta=\frac{k}{4}\pi$ 구하기	3점
㉯ $0<k<8$ 구하기	3점
㉰ 답 구하기	2점

20○○학년도 2학년 1학기 중간고사(8회)

01 ②	**02** ②	**03** ④	**04** ⑤	**05** ③
06 ⑤	**07** ①	**08** ③	**09** ①	**10** ①
11 ④	**12** ③	**13** ④	**14** ④	**15** ⑤
16 ③	**17** ①	**18** ②		
19 $1<x<2$ 또는 $2<x<3$			**20** 26	**21** 4
22 250년 후		**23** 19		

01 ① $200°$ (제3사분면의 각)

② $1020°=360°\times2+300°$ (제4사분면의 각)

③ $-150°=360°\times(-1)+210°$ (제3사분면의 각)

④ $-460°=360°\times(-2)+260°$ (제3사분면의 각)

⑤ $-530°=360°\times(-2)+190°$ (제3사분면의 각)

따라서 다른 사분면에 속하는 각의 크기는 ②이다.

02 $9^{\frac{5}{4}}\times32^{\frac{7}{10}}\div\sqrt{216}=(3^2)^{\frac{5}{4}}\times(2^5)^{\frac{7}{10}}\div(2^3\times3^3)^{\frac{1}{2}}$

$=(3^{\frac{5}{2}}\times2^{\frac{7}{2}})\div(2^{\frac{3}{2}}\times3^{\frac{3}{2}})$

$=2^{\frac{7}{2}-\frac{3}{2}}\times3^{\frac{5}{2}-\frac{3}{2}}$

$=2^2\times3=12$

03 ① 함수 $y=\log_a x$의 그래프는 점 $(1, 0)$을 지난다. (참)

② 점근선은 y축이므로 점근선의 방정식은 $x=0$이다. (참)

③ $a>1$일 때, x의 값이 증가하면 y의 값도 증가하고, x의 값이 감소하면 y의 값도 감소한다. (참)

④ 함수 $y=-\log_a x$의 그래프는 함수 $y=\log_a x$의 그래프와 x축 대칭이다. (거짓)

⑤ 두 함수 $y=\log_a x$, $y=a^x$은 서로 역함수 관계이므로 두 함수의 그래프는 직선 $y=x$에 대하여 서로 대칭이다. (참)

따라서 옳지 않은 것은 ④이다.

04 $9^x-12\times3^x+27=0$에서 $(3^x)^2-12\times3^x+27=0$

$3^x=t\ (t>0)$로 놓으면

$t^2-12t+27=0$

$(t-3)(t-9)=0$

$\therefore t=3$ 또는 $t=9$

즉, $3^x=3$ 또는 $3^x=9$이므로

$x=1$ 또는 $x=2$

$\therefore \alpha+\beta=3$

05 ㄱ. 3의 다섯제곱근 중 실수인 것은 $\sqrt[5]{3}$ 하나뿐이다. (참)

ㄴ. $a<0$일 때, a의 네제곱근 중 실수인 것은 존재하지 않는다. (거짓)

ㄷ. 실수 a의 세제곱근은 방정식 $x^3=a$를 만족시키는 근이므로 집합 $\{x|x^3=a, x$는 복소수$\}$의 원소이다. (참)

따라서 옳은 것은 ㄱ, ㄷ이다.

06 $x=(xy)^{\frac{1}{a}}, y=(xy)^{\frac{1}{b}}$이므로

$xy=(xy)^{\frac{1}{a}}(xy)^{\frac{1}{b}}=(xy)^{\frac{1}{a}+\frac{1}{b}}=(xy)^{\frac{a+b}{ab}}$

따라서 $\frac{a+b}{ab}=1$이므로 $\frac{2(a+b)}{ab}=2$

07 $\log a^2=1.2424$이므로 $\log a=0.6212$

$\therefore \log a^3+\log\sqrt{a}=3\log a+\frac{1}{2}\log a$

$=1.8636+0.3106$

$=2.1742$

08 밑의 조건에서 $(k-2)^2>0$, $(k-2)^2\neq1$

$\therefore k\neq1,\ k\neq2,\ k\neq3$ ……㉠

진수의 조건에서 $kx^2+kx+2>0$

이 부등식이 모든 실수 x에 대하여 항상 성립하려면

(i) $k=0$일 때, $2>0$이므로 항상 성립한다.

(ii) $k>0$일 때, 이차방정식 $kx^2+kx+2=0$의 판별식을 D라 하면 $D<0$이어야 한다.

$D=k^2-8k<0$, $k(k-8)<0$

$\therefore 0<k<8$

(i), (ii)에 의하여 $0\leq k<8$ ……㉡

㉠, ㉡에서 구하는 정수 k의 개수는 0, 4, 5, 6, 7의 5이다.

09 $A=\log_8 16=\log_{2^3}2^4=\frac{4}{3}\log_2 2=\frac{4}{3}$

$B=\log_4 8=\log_{2^2}2^3=\frac{3}{2}\log_2 2=\frac{3}{2}$

$\therefore B>A$

$C=\log_2 3>\log_2 2=1$이고

$B=\log_4 8=\frac{1}{2}\log_2 8=\log_2 2\sqrt{2}$이므로

$C=\log_2 3>\log_2 2\sqrt{2}=B$ $\quad\therefore C>B$

$\therefore A<B<C$

10 함수 $f(x)=\log_6 x$의 역함수가 $y=g(x)$이므로

$g(\alpha)=\frac{1}{3}$, $g(\beta)=\frac{1}{2}$에서

$f\left(\frac{1}{3}\right)=\alpha, f\left(\frac{1}{2}\right)=\beta$

$\therefore \alpha=\log_6\frac{1}{3},\ \beta=\log_6\frac{1}{2}$

$\alpha+\beta=\log_6\frac{1}{3}+\log_6\frac{1}{2}=\log_6\frac{1}{6}=-1$이므로

$g(2\alpha+2\beta)=g(-2)=k$라 하면

$f(k)=-2$

$\log_6 k=-2$ $\quad\therefore k=\frac{1}{36}$

$\therefore g(2\alpha+2\beta)=\frac{1}{36}$

11 $\sin\theta+\cos\theta=\frac{4}{3}$의 양변을 제곱하면

$1+2\sin\theta\cos\theta=\frac{16}{9}$

$2\sin\theta\cos\theta=\frac{7}{9}$

$\therefore \sin\theta\cos\theta=\frac{7}{18}$

$\therefore \sin^3\theta+\cos^3\theta$

$=(\sin\theta+\cos\theta)(\sin^2\theta-\sin\theta\cos\theta+\cos^2\theta)$

$=\frac{4}{3}\times\left(1-\frac{7}{18}\right)=\frac{22}{27}$

> **핵심 포인트**
> $\sin\theta\pm\cos\theta=k$로부터 $\sin\theta\cos\theta$의 값을 구할 때는 양변을 제곱한다.

12 부채꼴의 반지름의 길이를 r, 호의 길이를 l, 넓이를 S라 하면

$2r+l=40$에서 $l=40-2r$

따라서 부채꼴의 넓이는

$S=\frac{1}{2}r(40-2r)=-r^2+20r=-(r-10)^2+100$

이므로 $r=10$일 때, 최대 넓이는 100이다.

13 $\overline{BC}:\overline{CD}=2:1$이므로

두 점 C, D에서 x축에 내린 수선의 발의 x좌표를 각각 $2p$, $3p$ $(p>0)$라 하면 두 점 C, D는 각각

$C(2p, 4)$, $D(3p, 4)$

$2^{2p}=4$에서 $p=1$이므로

$a^{3p}=a^3=4$

$\therefore a=4^{\frac{1}{3}}=\sqrt[3]{4}$

14 진수의 조건에서 $x>0$ ……㉠

$\log_3 x^{\log_3 x}-\log_3 x^2-3=0$에서

$(\log_3 x)^2-2\log_3 x-3=0$

$\log_3 x=t$로 놓으면 $t^2-2t-3=0$

$(t+1)(t-3)=0$ $\quad\therefore t=-1$ 또는 $t=3$

즉, $\log_3 x=-1$ 또는 $\log_3 x=3$이므로

$x=\frac{1}{3}$ 또는 $x=27$

$x=\frac{1}{3}$, $x=27$은 모두 ㉠을 만족시키므로 주어진 방정식의 두 근이다.

$\therefore \alpha\beta=9$

15 $1<x<1000$이므로

$0<\log x<3$ ……㉠

$\log x$의 소수 부분과 $\log\sqrt{x}$의 소수 부분이 같으므로

$\log x-\log\sqrt{x}=$(정수)

$\frac{1}{2}\log x=$(정수)

㉠에 의하여 $0<\frac{1}{2}\log x<\frac{3}{2}$이므로

$\frac{1}{2}\log x=1$ $\quad\therefore \log x=2$

$\therefore x=100$

16 이 도시의 도심지역의 현재 평균기온은

$d=r+0.05+1.6\log a$ ······㉠

1°C 상승하는 데 n년이 걸렸다고 하면 넓이는 매년 4%씩 확장되므로 n년 후의 도심지역의 넓이는 $1.04^n\times a$

즉, n년 후의 도심지역의 평균기온은

$d+1=r+0.05+1.6\log(1.04^n\times a)$ ······㉡

㉡−㉠을 하면

$1=1.6\log(1.04^n\times a)-1.6\log a$

$=1.6\log 1.04^n$

$=1.6n\log 1.04$

이때, $1.04=\dfrac{2^3\times 13}{100}$이므로

$1.6n\log 1.04=1.6n\log\dfrac{2^3\times 13}{100}$

$=1.6n(3\log 2+\log 13-2\log 10)$

$=1.6n(0.90+1.11-2)$

$=0.016n$

즉, $1=0.016n$이므로 $n=62.5$

따라서 1°C 상승하는 데 62.5년이 걸린다.

17 $n=3^a\times 5^b$(a, b는 자연수)에서

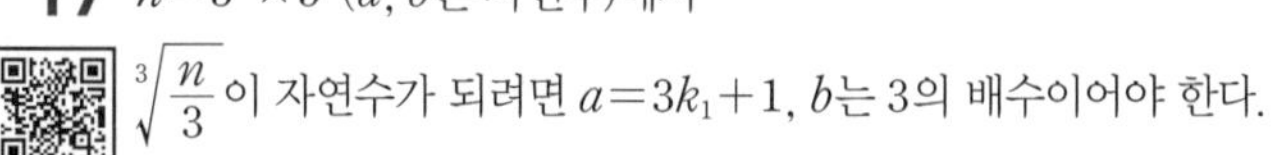

$\sqrt[3]{\dfrac{n}{3}}$이 자연수가 되려면 $a=3k_1+1$, b는 3의 배수이어야 한다.

$\sqrt[5]{\dfrac{n}{5}}$이 자연수가 되려면 $b=5k_2+1$, a는 5의 배수이어야 한다. (단, k_1, k_2는 음이 아닌 정수이다.)

따라서 최소의 a, b의 값은 $a=10$, $b=6$이므로

$a+b=16$

18 (i) $\left(\dfrac{1}{9}\right)^{x^2-ax}>\left(\dfrac{1}{3}\right)^{x^2+2x}$에서

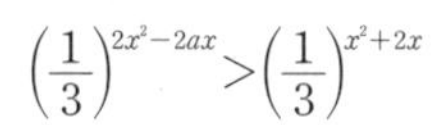

$\left(\dfrac{1}{3}\right)^{2x^2-2ax}>\left(\dfrac{1}{3}\right)^{x^2+2x}$

밑 $\dfrac{1}{3}$은 0보다 크고 1보다 작으므로

$2x^2-2ax<x^2+2x$

$x^2-2(a+1)x<0$, $x\{x-2(a+1)\}<0$

$\therefore 0<x<2(a+1)$ ($\because a>0$)

조건 $p(x)$의 진리집합을 $P(x)$라 하면

$P(x)=\{x\,|\,0<x<2(a+1)\}$

(ii) $(2^x-8)(2^x-32)<0$에서 $8<2^x<32$

$2^3<2^x<2^5$

밑 2는 1보다 크므로

$3<x<5$

조건 $q(x)$의 진리집합을 $Q(x)$라 하면

$Q(x)=\{x\,|\,3<x<5\}$

$p(x)$는 $q(x)$이기 위한 필요조건이므로 $Q(x)\subset P(x)$이어야 한다.

즉, $2(a+1)\ge 5$이므로 $a\ge\dfrac{3}{2}$

따라서 a의 최솟값은 $\dfrac{3}{2}$이다.

핵심 포인트

두 조건 p, q의 진리집합을 각각 P, Q라 할 때,
$P\subset Q \Longleftrightarrow p$는 q이기 위한 충분조건
q는 p이기 위한 필요조건
$P=Q \Longleftrightarrow p$는 q이기 위한 필요충분조건

19 진수의 조건에서 $x-1>0$, $3-x>0$

$\therefore 1<x<3$ ······㉠ ······㉮

$\log_{\frac{1}{3}}(x-1)>\log_3(3-x)$에서

$-\log_3(x-1)>\log_3(3-x)$

$\log_3(x-1)+\log_3(3-x)<0$

$\log_3(x-1)(3-x)<0$

$\log_3(x-1)(3-x)<\log_3 1$에서 (밑)$=3>1$이므로

$-x^2+4x-3<1$, $x^2-4x+4>0$

$(x-2)^2>0$

$\therefore x\ne 2$ ······㉡ ······㉯

㉠, ㉡의 공통 범위를 구하면

$1<x<2$ 또는 $2<x<3$ ······㉰

채점 기준	배점
㉮ $1<x<3$ 구하기	2점
㉯ $x\ne 2$ 구하기	2점
㉰ 답 구하기	2점

20 $f(x)=3^x$, $g(x)=x^2+2x+4$에서

$(f\circ g)(x)=f(g(x))=3^{g(x)}$ ······㉮

함수 $y=3^{g(x)}$은 밑 3이 1보다 크므로 $g(x)$의 값이 최소일 때 $3^{g(x)}$의 값도 최소이다.

$g(x)=(x+1)^2+3$이므로 $x=-1$일 때 $g(x)$의 최솟값은 3이다.

따라서 함수 $y=(f\circ g)(x)$의 최솟값은 $3^3=27$

$\therefore a=-1$, $m=27$ ······㉯

$\therefore a+m=26$ ······㉰

채점 기준	배점
㉮ $(f\circ g)(x)=f(g(x))=3^{g(x)}$ 구하기	2점
㉯ a, m의 값 구하기	2점
㉰ 답 구하기	2점

21 이차방정식 $x^2-5x+3=0$의 두 근이 α, β이므로 근과 계수의 관계에 의하여

$\alpha+\beta=5$, $\alpha\beta=3$ ······㉮

$\therefore \log_2(\alpha+\beta^{-1})+\log_2(\beta+\alpha^{-1})+\log_2\alpha\beta$

$=\log_2\left(\alpha+\dfrac{1}{\beta}\right)+\log_2\left(\beta+\dfrac{1}{\alpha}\right)+\log_2\alpha\beta$

$=\log_2\left(\dfrac{\alpha\beta+1}{\beta}\right)\left(\dfrac{\alpha\beta+1}{\alpha}\right)\alpha\beta=\log_2(\alpha\beta+1)^2$

$=\log_2 4^2=\log_2 2^4=4$ ······㉯

채점 기준	배점
㉮ $\alpha+\beta=5$, $\alpha\beta=3$ 구하기	2점
㉯ 답 구하기	4점

22 10년 후 방사능 물질의 양이 초기 방사능 물질의 양의 $\frac{9}{10}$가 되므로

$\frac{9}{10}y_0=y_0\left(\frac{1}{2}\right)^{10k}$에서 $\frac{9}{10}=\left(\frac{1}{2}\right)^{10k}$ ······㉠ ······㉮

x년 후 방사능 물질의 양이 초기 방사능 물질의 양의 $\frac{1}{10}$이 된다고 하면

$\frac{1}{10}y_0=y_0\left(\frac{1}{2}\right)^{kx}$

$\frac{1}{10}=\left\{\left(\frac{1}{2}\right)^{10k}\right\}^{\frac{x}{10}}$ ······㉡ ······㉯

㉠을 ㉡에 대입하면

$\frac{1}{10}=\left(\frac{9}{10}\right)^{\frac{x}{10}}$

양변에 상용로그를 취하면

$-1=\frac{x}{10}(2\log 3-1)$

$\therefore x=\frac{10}{1-2\log 3}=\frac{10}{0.04}=250$

따라서 방사능 물질의 양이 초기 방사능 물질의 양의 $\frac{1}{10}$이 되는 것은 250년 후이다. ······㉰

채점 기준	배점
㉮ ㉠의 식 구하기	2점
㉯ ㉡의 식 구하기	3점
㉰ 답 구하기	3점

23 함수 $y=\log_2(x-1)$의 역함수는 $g(x)=2^x+1$이다.

함수 $y=\log_2(x-1)$의 그래프는 항상 점 $(2,\ 0)$을 지나므로

$a=2$ ······㉮

역함수 $y=g(x)$의 그래프가 점 $A_2(2,\ b)$를 지나므로

$b=g(2)=2^2+1=5$

함수 $y=\log_2(x-1)$의 그래프가 점 $A_3(c,\ 5)$를 지나므로

$5=\log_2(c-1)$, $c-1=2^5$

$\therefore c=2^5+1=33$ ······㉯

역함수 $y=g(x)$의 그래프가 점 $A_4(33,\ d)$를 지나므로

$d=g(33)=2^{33}+1$

$\therefore \log_{(b-1)}(c-1)(d-1)=\log_4(2^5\times 2^{33})=\log_4 4^{19}$

$=19$ ······㉰

채점 기준	배점
㉮ $a=2$ 구하기	3점
㉯ $b=5$, $c=33$ 구하기	3점
㉰ 답 구하기	2점

20○○학년도 2학년 1학기 중간고사(9회)

01 ④	02 ⑤	03 ④	04 ④	05 ④
06 ②	07 ①	08 ③	09 ③	10 ⑤
11 ⑤	12 ⑤	13 ③	14 ③	15 ②
16 ②	17 ①	18 ①		

19 $S=8\pi-16$, $\theta=\pi-2$ 　20 8 　21 $-\frac{1}{2}$

22 $2\sqrt{2}$ 　23 $\frac{3\sqrt{2}}{2}$

01 ① $15^\circ=15\times\frac{\pi}{180}=\frac{\pi}{12}$

② $120^\circ=120\times\frac{\pi}{180}=\frac{2}{3}\pi$

③ $180^\circ=180\times\frac{\pi}{180}=\pi$

④ $210^\circ=210\times\frac{\pi}{180}=\frac{7}{6}\pi$

⑤ $330^\circ=330\times\frac{\pi}{180}=\frac{11}{6}\pi$

따라서 옳지 않은 것은 ④이다.

02 $\left(\frac{1}{3}\right)^{x^2}>\left(\frac{1}{9}\right)^{x+4}$에서 $\left(\frac{1}{3}\right)^{x^2}>\left(\frac{1}{3}\right)^{2x+8}$

밑 $\frac{1}{3}$은 0보다 크고 1보다 작으므로

$x^2<2x+8$, $x^2-2x-8<0$

$(x+2)(x-4)<0$ 　$\therefore -2<x<4$

따라서 정수 x의 개수는 $-1, 0, 1, 2, 3$의 5이다.

03 $\sqrt[12]{2a^3b^4}\times\sqrt[4]{2ab^2}\div\sqrt[6]{4a^2b}=\frac{\sqrt[12]{2a^3b^4}\times\sqrt[12]{2^3a^3b^6}}{\sqrt[12]{4^2a^4b^2}}$

$=\sqrt[12]{\frac{16a^6b^{10}}{16a^4b^2}}$

$=\sqrt[12]{a^2b^8}$

$=\sqrt[6]{ab^4}$

04 $A=\sqrt[3]{3\sqrt{2}}=\sqrt[3]{3}\times\sqrt[6]{2}=\sqrt[6]{3^2}\times\sqrt[6]{2}=\sqrt[6]{18}$

$B=\sqrt[3]{2\sqrt{3}}=\sqrt[3]{2}\times\sqrt[6]{3}=\sqrt[6]{2^2}\times\sqrt[6]{3}=\sqrt[6]{12}$

$C=\sqrt{2\sqrt[3]{2}}=\sqrt{2}\times\sqrt[6]{2}=\sqrt[6]{2^3}\times\sqrt[6]{2}=\sqrt[6]{16}$

$\therefore B<C<A$

05 $\log_{12}18=\frac{\log 18}{\log 12}=\frac{\log 2+2\log 3}{2\log 2+\log 3}$

$=\frac{a+2b}{2a+b}$

06 진수의 조건에서 $x>0$, $\frac{4}{x}>0$

$\therefore x>0$ ······㉠

$(\log_2 x)^2\le\log_2\frac{4}{x}$에서

$(\log_2 x)^2 \le \log_2 4 - \log_2 x$, $(\log_2 x)^2 + \log_2 x - 2 \le 0$

$\log_2 x = t$로 놓으면 $t^2 + t - 2 \le 0$, $(t+2)(t-1) \le 0$

$\therefore -2 \le t \le 1$

즉, $-2 \le \log_2 x \le 1$이므로

$\frac{1}{4} \le x \le 2$ ……㉡

㉠, ㉡의 공통 범위를 구하면 $\frac{1}{4} \le x \le 2$

따라서 구하는 정수 x의 개수는 1, 2의 2이다.

07 a의 n제곱근 중 실수인 것은 방정식 $x^n = a$의 실근이다.

이때, $a < 0$이면

(i) n이 홀수일 때, $x^n = a$의 실근은 한 개이므로

$g(a, n) = 1$

(ii) n이 짝수일 때, $x^n = a$의 실근은 존재하지 않으므로

$g(a, n) = 0$

(i), (ii)에 의하여

$g(-1, 2) + g(-2, 3) + g(-3, 4) + \cdots + g(-99, 100)$

$= 0 + 1 + 0 + 1 + \cdots + 0 + 1 + 0 = 49$

핵심 포인트

실수 a의 n제곱근 중에서 실수인 것은 다음과 같다.

n \ a	$a>0$	$a=0$	$a<0$
n이 홀수	$\sqrt[n]{a}$	0	$\sqrt[n]{a}$
n이 짝수	$\sqrt[n]{a}$, $-\sqrt[n]{a}$	0	없다.

08 피자 8조각을 굽는 데 걸리는 시간이 2조각을 굽는 데 걸리는 시간의 a배라 하면

$1.2 \times 8^{\frac{1}{2}} = a \times 1.2 \times 2^{\frac{1}{2}}$, $a \times 2^{\frac{1}{2}} = 8^{\frac{1}{2}} = 2^{\frac{3}{2}}$

$\therefore a = 2^{\frac{3}{2} - \frac{1}{2}} = 2$

09 $\frac{a+b}{4} = \frac{b+c}{7} = \frac{c+a}{9} = k$ $(k \ne 0)$라 하면

$a+b = 4k$, $b+c = 7k$, $c+a = 9k$

$\therefore a = 3k$, $b = k$, $c = 6k$

$\therefore (2^a \times 2^b)^{\frac{1}{c}} = 2^{\frac{a+b}{c}} = 2^{\frac{4k}{6k}} = 2^{\frac{2}{3}} = \sqrt[3]{4}$

10 ㄱ. $f(x+y) = a^{x+y} = a^x \times a^y = f(x)f(y)$ (참)

ㄴ. $f(x-y) = a^{x-y} = \frac{a^x}{a^y} = \frac{f(x)}{f(y)}$ (참)

ㄷ. $\{f(x)\}^n = (a^x)^n = a^{nx} = f(nx)$ (참)

따라서 ㄱ, ㄴ, ㄷ 모두 옳다.

11 $\log_5 36 = \log_5 6^2 = 2\log_5 6$,

$\log_{25} 10000 = \log_{5^2} 10^4 = \frac{4}{2}\log_5 10 = 2\log_5 10$이므로

$a = \frac{\log_5 36 + 2\log_5 2}{\log_{25} 10000} = \frac{2\log_5 6 + 2\log_5 2}{2\log_5 10}$

$= \frac{\log_5 6 + \log_5 2}{\log_5 10} = \frac{\log_5 12}{\log_5 10} = \log_{10} 12$

따라서 $a = \log_{10} 12$에서 $10^a = 12$이므로

$10^{2a} = (10^a)^2 = 12^2 = 144$

12 $\log_4\{\log_3(\log_2 x)\} = 1$에서 $\log_3(\log_2 x) = 4^1 = 4$

$\log_2 x = 3^4 = 81$

$\therefore x = 2^{81}$

양변에 상용로그를 취하면

$\log x = \log 2^{81} = 81\log 2 = 81 \times 0.3010 = 24.381$

따라서 $\log x$의 정수 부분이 24이므로 x는 25자리 정수이다.

핵심 포인트

양수 N에 대하여

$\log N = n + \log a$ (n은 정수, $0 \le \log a < 1$)

로 놓으면

(1) $N > 1$일 때 ➡ 진수 N은 정수 부분이 $(n+1)$자리인 수이다.

(2) $0 < N < 1$일 때 ➡ 진수 N은 소수점 아래 $|n|$째 자리에서 처음으로 0이 아닌 숫자가 나온다.

13 $\log_b a = \frac{1}{\boxed{\log_a b}}$이고, 가정에서 $\log_a b = \log_b a$이므로

$(\log_a b)^2 = 1$

$\therefore \log_a b = 1$ 또는 $\log_a b = -1$

(i) $\log_a b = 1$일 때, $b = a^1$이므로

$\frac{a^2+1}{b^2+1} = \frac{a^2+1}{a^2+1} = \boxed{1}$이고, $\frac{a}{b} = \boxed{1}$이다.

(ii) $\log_a b = -1$일 때, $b = a^{-1}$이므로

$\frac{a^2+1}{b^2+1} = \frac{a^2+1}{\frac{1}{a^2}+1} = \frac{a^2+1}{\frac{a^2+1}{a^2}} = \boxed{a^2}$이고,

$\frac{a}{b} = \frac{a}{\frac{1}{a}} = \boxed{a^2}$이다.

(i), (ii)에 의하여 $\frac{a^2+1}{b^2+1} = \frac{a}{b}$가 성립한다.

$\therefore$ (가): $\log_a b$, (나): 1, (다): a^2

14 $\log_{10} 2 = A$, $\log_{10} 5 = B$라 하면

$A + B = \log_{10} 2 + \log_{10} 5 = \log_{10}(2 \times 5) = \log_{10} 10 = 1$

$A^2 + B^2 = (A+B)^2 - 2AB = 1 - 2AB$

$A^3 + B^3 = (A+B)^3 - 3AB(A+B) = 1 - 3AB$

$\therefore \frac{(\log_{10} 2)^3 + (\log_{10} 5)^3 - 1}{(\log_{10} 2)^2 + (\log_{10} 5)^2 - 1} = \frac{A^3 + B^3 - 1}{A^2 + B^2 - 1}$

$= \frac{1 - 3AB - 1}{1 - 2AB - 1} = \frac{3}{2}$

15 목성의 밝기를 L_1, 화성의 밝기를 L_2라 하면

$-2 - 1.5 = -2.5\log_{10}\frac{L_1}{L_2}$

$\log_{10}\frac{L_1}{L_2} = \frac{3.5}{2.5} = \frac{35}{25} = \frac{7}{5}$

$\therefore \frac{L_1}{L_2} = 10^{\frac{7}{5}} = 10 \times 10^{\frac{2}{5}} = 10 \times 2.5 = 25$

따라서 목성은 화성보다 25배 밝다.

16 $y=x^{4-\log_3 x}$의 양변에 밑이 3인 로그를 취하면

$\log_3 y=\log_3 x^{4-\log_3 x}=(4-\log_3 x)\log_3 x$

$\log_3 x=t$로 놓으면

$3\le x\le 81$에서 $1\le t\le 4$이고,

$\log_3 y=(4-t)t=-(t-2)^2+4$

$\log_3 y=Y$로 놓으면 $Y=-(t-2)^2+4$

그림에서 $Y=\log_3 y$는

$t=2$일 때 최대이고 최댓값은 4,

$t=4$일 때 최소이고 최솟값은 0이므로

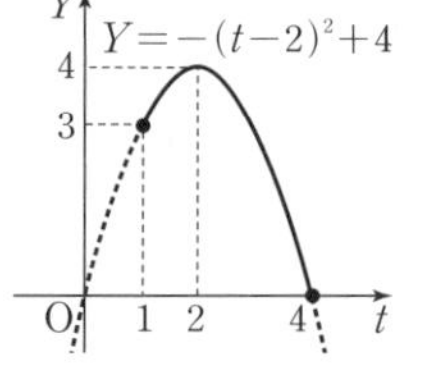

$\log_3 y=4$에서 $y=3^4=81$

$\log_3 y=0$에서 $y=3^0=1$

$\therefore a=81,\ b=1$

$\log_3 1\le n\le \log_3 81$에서 $0\le n\le 4$이므로

구하는 정수 n의 개수는 0, 1, 2, 3, 4의 5이다.

17 진수의 조건에서

$3-x>0,\ 4-x>0,\ 5-2y>0,\ 6-y>0$

$\therefore x<3,\ y<\dfrac{5}{2}$ ……㉠

$\log(3-x)-\log(5-2y)=\log(4-x)-\log(6-y)$에서

$\log(3-x)+\log(6-y)=\log(4-x)+\log(5-2y)$

$\log(3-x)(6-y)=\log(4-x)(5-2y)$

$(3-x)(6-y)=(4-x)(5-2y)$

$xy+x-5y+2=0$

$(x-5)(y+1)=-7$

㉠에서 $x-5<-2,\ y+1<\dfrac{7}{2}$이고, $x,\ y$는 정수이므로

$x-5=-7,\ y+1=1$

따라서 $x=-2,\ y=0$이므로 $x+y=-2$

18 원 $x^2+y^2=4$와 직선 $y=-2x$의 교점의 x좌표는

$x^2+4x^2=4,\ x^2=\dfrac{4}{5}$

$\therefore x=-\dfrac{2}{\sqrt{5}}\ (\because x<0)$

즉, 점 P의 좌표는 $\left(-\dfrac{2}{\sqrt{5}},\ \dfrac{4}{\sqrt{5}}\right)$이므로

$\overline{OP}=\sqrt{\dfrac{4}{5}+\dfrac{16}{5}}=2$

$\therefore \dfrac{1}{\sin\theta\cos\theta}=\dfrac{2}{\frac{4}{\sqrt{5}}}\times\dfrac{2}{-\frac{2}{\sqrt{5}}}=-\dfrac{5}{2}$

19 부채꼴의 반지름의 길이를 r, 호의 길이를 l이라 하면

부채꼴의 둘레의 길이가 4π이므로

$2r+l=4\pi$에서

$2\times4+l=4\pi$ $\therefore l=4\pi-8$ ……㉮

따라서 부채꼴의 넓이는

$S=\dfrac{1}{2}\times4\times(4\pi-8)=8\pi-16$ ……㉯

또 $l=r\theta$에서

$4\pi-8=4\theta$ $\therefore \theta=\pi-2$ ……㉰

채점 기준	배점
㉮ $l=4\pi-8$ 구하기	2점
㉯ $S=8\pi-16$ 구하기	2점
㉰ $\theta=\pi-2$ 구하기	2점

20 $y=2^x$의 그래프를 x축의 방향으로 α만큼, y축의 방향으로 β만큼 평행이동하면

$y-\beta=2^{x-\alpha}$

이 함수의 그래프를 직선 $y=x$에 대하여 대칭이동하면

$x-\beta=2^{y-\alpha}$

$y-\alpha=\log_2(x-\beta)$

$\therefore y=\log_2(x-\beta)+\alpha$

즉, $f(x)=\log_2(x-\beta)+\alpha$ ……㉮

$y=f(x)$의 그래프가 직선 $x=3$을 점근선으로 가지므로

$\beta=3$

또 $f(11)=6$이므로

$\log_2(11-3)+\alpha=6$에서 $\alpha=3$ ……㉯

따라서 $f(x)=\log_2(x-3)+3$이므로

$f(35)=\log_2 32+3=5+3=8$ ……㉰

채점 기준	배점
㉮ $f(x)=\log_2(x-\beta)+\alpha$ 구하기	2점
㉯ $\alpha=3,\ \beta=3$ 구하기	2점
㉰ 답 구하기	2점

21 이차방정식의 근과 계수의 관계에 의하여

$(\sin\theta+\cos\theta)+(\sin\theta-\cos\theta)=1$ ……㉠

$(\sin\theta+\cos\theta)(\sin\theta-\cos\theta)=a$ ……㉡ ……㉮

㉠에서 $2\sin\theta=1$ $\therefore \sin\theta=\dfrac{1}{2}$ ……㉯

㉡에서

$a=\sin^2\theta-\cos^2\theta=2\sin^2\theta-1$

$=2\times\dfrac{1}{4}-1=-\dfrac{1}{2}$ ……㉰

채점 기준	배점
㉮ ㉠, ㉡의 식 구하기	2점
㉯ $\sin\theta=\frac{1}{2}$ 구하기	2점
㉰ 답 구하기	2점

22 점 A의 좌표를 $(k,\ 2)$라 하면

$\log_a k=2$ $\therefore k=a^2$

즉, 점 C의 좌표는 $(a^2+2,\ 4)$이므로

$\log_a(a^2+2)=4$

$a^2+2=a^4$

$a^4-a^2-2=0$

$(a^2+1)(a^2-2)=0$

$\therefore a^2=2\ (\because a^2>1)$ ……㉮

즉, $k=2$이므로 점 B의 좌표는 $(4,\ 2)$이다.

$\log_b 4=2$이므로 $b^2=4$

점 A의 좌표는 $(2,\ 2)$이므로 점 D의 좌표는 $(2,\ 4)$이다.

$\log_d 2=4$이므로 $d^4=2$ ……㉯

$\therefore d^2=\sqrt{2}\ (\because d>1)$

$\therefore \dfrac{b^2}{d^2}=\dfrac{4}{\sqrt{2}}=2\sqrt{2}$ ……㉰

채점 기준	배점
㉮ $a^2=2$ 구하기	3점
㉯ $b^2=4$, $d^4=2$ 구하기	3점
㉰ 답 구하기	2점

23 $f(x)=-x^2+2x+1$

$=-(x-1)^2+2$

$f(g(x))=f(a^x)=-a^{2x}+2a^x+1$

$=-(a^x-1)^2+2\ (-1\le x\le 2)$

$g(f(x))=a^{f(x)}=a^{-x^2+2x+1}$

$=a^{-(x-1)^2+2}\ (-1\le x\le 2)$ ……㉮

(i) $a>1$일 때,

$a^x=t\ (t>0)$로 놓으면

$f(g(x))=-(t-1)^2+2$

$-1\le x\le 2$에서 $\dfrac{1}{a}\le t\le a^2$

$0<\dfrac{1}{a}<1$이고 $a^2>1$이므로 $t=1$일 때, $f(g(x))$의 최댓값은 2이다.

한편, 함수 $g(f(x))=a^{f(x)}$은 $f(x)$가 최대일 때 최댓값을 가지므로 $x=1$일 때 최댓값은 a^2이다.

두 함수 $y=f(g(x))$, $y=g(f(x))$의 최댓값이 같으려면

$a^2=2$

$\therefore a=\sqrt{2}\ (\because a>1)$ ……㉯

(ii) $0<a<1$일 때,

$a^x=s\ (s>0)$로 놓으면

$f(g(x))=-(s-1)^2+2$

$-1\le x\le 2$에서 $a^2\le s\le \dfrac{1}{a}$

$0<a^2<1$이고 $\dfrac{1}{a}>1$이므로 $s=1$일 때, $f(g(x))$의 최댓값은 2이다.

한편, 함수 $g(f(x))=a^{f(x)}$은 $f(x)$가 최소일 때 최댓값을 가지므로 $x=-1$일 때 최댓값은 a^{-2}이다.

두 함수 $y=f(g(x))$, $y=g(f(x))$의 최댓값이 같으려면

$a^{-2}=2$

$\therefore a=\dfrac{1}{\sqrt{2}}=\dfrac{\sqrt{2}}{2}\ (\because 0<a<1)$ ……㉰

(i), (ii)에서 모든 a의 값의 합은

$\sqrt{2}+\dfrac{\sqrt{2}}{2}=\dfrac{3\sqrt{2}}{2}$ ……㉱

채점 기준	배점
㉮ $f(g(x))$, $g(f(x))$ 구하기	2점
㉯ $a=\sqrt{2}$ 구하기	2점
㉰ $a=\dfrac{\sqrt{2}}{2}$ 구하기	2점
㉱ 답 구하기	2점

20○○학년도 2학년 1학기 중간고사(10회)

01 ③	**02** ④	**03** ⑤	**04** ②	**05** ④
06 ④	**07** ②	**08** ⑤	**09** ①	**10** ③
11 ⑤	**12** ①	**13** ③	**14** ①	**15** ③
16 ③	**17** ②	**18** ②	**19** $\dfrac{\sqrt{6}}{2}$	**20** 5.2 m
21 28	**22** 8	**23** 120		

01 $\sqrt[3]{a\sqrt{a}}=(a\times a^{\frac{1}{2}})^{\frac{1}{3}}=(a^{\frac{3}{2}})^{\frac{1}{3}}=a^{\frac{1}{2}}$

즉, $a^{\frac{1}{2}}=a^x$에서 $x=\dfrac{1}{2}$

02 진수의 조건에서 $|2x-1|>0$

$\therefore x\ne\dfrac{1}{2}$ ……㉠

$\log_3|2x-1|=\log_3 5$에서 $|2x-1|=5$

$2x-1=-5$ 또는 $2x-1=5$

$\therefore x=-2$ 또는 $x=3$

$x=-2$, $x=3$은 모두 ㉠을 만족시키므로 구하는 해이다.

따라서 모든 x의 값의 합은 1이다.

03 로그의 밑은 1이 아닌 양수이므로 $(x-2)^2>0$, $(x-2)^2\ne 1$

$(x-2)^2>0$에서 $x-2\ne 0$ $\quad\therefore x\ne 2$

$(x-2)^2\ne 1$에서 $x^2-4x+3\ne 0$

$(x-1)(x-3)\ne 0$ $\quad\therefore x\ne 1,\ x\ne 3$

즉, 로그의 밑의 조건에서

$x\ne 1,\ x\ne 2,\ x\ne 3$ ……㉠

또 로그의 진수는 양수이므로 $-x^2+x+20>0$

$x^2-x-20<0$, $(x+4)(x-5)<0$

$\therefore -4<x<5$ ……㉡

㉠, ㉡에서 정수 x의 개수는 $-3, -2, -1, 0, 4$의 5이다.

04 $[\log 62500]=4$, $[\log 6.25]=0$, $[\log 0.000625]=-4$

$\therefore \dfrac{[\log 62500]+[\log 6.25]}{[\log 0.000625]}=\dfrac{4+0}{-4}=-1$

핵심 포인트

$[x]$가 x보다 크지 않은 최대의 정수를 나타낼 때,
$[\log N]$은 $\log N$의 정수 부분이다.

05 $9^x-3^{x+2}+a=0$에서

$(3^x)^2-9\times 3^x+a=0$ ……㉠

$3^x=t\ (t>0)$로 놓으면

$t^2-9t+a=0$ ……㉡

방정식 ㉠의 두 근을 α, β라 하면 방정식 ㉡의 두 근은 3^α, 3^β이므로 근과 계수의 관계에서

$3^\alpha\times 3^\beta=a$, 즉 $3^{\alpha+\beta}=a$

그런데 방정식 ㉠의 두 근의 합이 1이므로 $\alpha+\beta=1$

$\therefore a=3$

06 진수의 조건에서 $x-1>0$, $x+11>0$

$\therefore x>1$ ……㉠

$2\log_3(x-1)\le\log_3(x+11)$에서

$\log_3(x-1)^2\le\log_3(x+11)$

(밑)>1이므로 $(x-1)^2\le x+11$

$x^2-3x-10\le 0$, $(x+2)(x-5)\le 0$

$\therefore -2\le x\le 5$ ……㉡

㉠, ㉡의 공통 범위를 구하면 $1<x\le 5$

07 $\sin\theta\cos\theta<0$, $\sin\theta\tan\theta>0$을 동시에 만족시키는 θ는 제4사분면의 각이므로

$\sin\theta<0$, $\cos\theta>0$, $1-\sin\theta>0$, $1+\cos\theta>0$

$\therefore |\sin\theta|+\sqrt{\cos^2\theta}-|1-\sin\theta|+\sqrt{(1+\cos\theta)^2}$

$=-\sin\theta+\cos\theta-1+\sin\theta+1+\cos\theta=2\cos\theta$

08 θ가 제3사분면의 각이므로 일반각으로 나타내면

$2n\pi+\pi<\theta<2n\pi+\frac{3}{2}\pi$ (단, n은 정수)

$\therefore \frac{2}{3}n\pi+\frac{\pi}{3}<\frac{\theta}{3}<\frac{2}{3}n\pi+\frac{\pi}{2}$

$\frac{\theta}{3}$가 존재하는 사분면은 다음과 같다.

(ⅰ) $n=3k$ (k는 정수)일 때

$2k\pi+\frac{\pi}{3}<\frac{\theta}{3}<2k\pi+\frac{\pi}{2}$

즉, $\frac{\theta}{3}$는 제1사분면의 각이다.

(ⅱ) $n=3k+1$ (k는 정수)일 때

$\frac{2}{3}(3k+1)\pi+\frac{\pi}{3}<\frac{\theta}{3}<\frac{2}{3}(3k+1)\pi+\frac{\pi}{2}$

$\therefore 2k\pi+\pi<\frac{\theta}{3}<2k\pi+\frac{7}{6}\pi$

즉, $\frac{\theta}{3}$는 제3사분면의 각이다.

(ⅲ) $n=3k+2$ (k는 정수)일 때

$\frac{2}{3}(3k+2)\pi+\frac{\pi}{3}<\frac{\theta}{3}<\frac{2}{3}(3k+2)\pi+\frac{\pi}{2}$

$\therefore 2k\pi+\frac{5}{3}\pi<\frac{\theta}{3}<2k\pi+\frac{11}{6}\pi$

즉, $\frac{\theta}{3}$는 제4사분면의 각이다.

(ⅰ)~(ⅲ)에서 $\frac{\theta}{3}$는 제1, 3, 4사분면에 존재할 수 있다.

핵심 포인트

(1) 제1사분면의 각: $2n\pi<\theta<2n\pi+\frac{\pi}{2}$

(2) 제2사분면의 각: $2n\pi+\frac{\pi}{2}<\theta<2n\pi+\pi$

(3) 제3사분면의 각: $2n\pi+\pi<\theta<2n\pi+\frac{3}{2}\pi$

(4) 제4사분면의 각: $2n\pi+\frac{3}{2}\pi<\theta<2n\pi+2\pi$

(단, n은 정수)

09 $ab=\log_2 3\times\log_3 5=\log_2 3\times\frac{\log_2 5}{\log_2 3}=\log_2 5$

$abc=ab\times\log_5 7=\log_2 5\times\frac{\log_2 7}{\log_2 5}=\log_2 7$

$\therefore \frac{2ab}{1+a+abc}=\frac{2\log_2 5}{\log_2 2+\log_2 3+\log_2 7}$

$=\frac{\log_2 5^2}{\log_2(2\times3\times7)}=\frac{\log_2 25}{\log_2 42}$

$=\log_{42}25$

$\therefore N=25$

10 a, b는 자연수이므로

$\sqrt{\frac{2^a\times5^b}{2}}$은 a는 홀수, b는 짝수일 때 자연수가 되고,

$\sqrt[3]{\frac{2^a\times5^b}{5}}$은 a와 $b-1$이 3의 배수일 때 자연수가 된다.

따라서 a의 최솟값은 3이고, b의 최솟값은 4이므로 $a+b$의 최솟값은

$3+4=7$

11 $\log_3\frac{1}{\sqrt[3]{2}}=\log_3 2^{-\frac{1}{3}}=-\frac{1}{3}\log_3 2=a$

$\therefore \log_3 2=-3a$

$\log_3\frac{1}{\sqrt{7}}=\log_3 7^{-\frac{1}{2}}=-\frac{1}{2}\log_3 7=b$

$\therefore \log_3 7=-2b$

$\therefore \frac{\log_{10}392}{\log_{10}3}=\log_3 392$

$=\log_3(2^3\times7^2)$

$=3\log_3 2+2\log_3 7$

$=-9a-4b$

따라서 $m=-9$, $n=-4$이므로

$mn=36$

12 $3^n=A$라 하면

$\log A=\log 3^n=n\log 3=0.48n$

그런데 3^n이 20자리의 수가 되어야 하므로

$19\le\log A<20$, 즉 $19\le 0.48n<20$

$\frac{1900}{48}\le n<\frac{2000}{48}$

$\therefore 39.5\times\times\times\le n<41.6\times\times\times$

따라서 이를 만족시키는 자연수 n은 40, 41이므로 모든 자연수 n의 값의 합은

$40+41=81$

13 $2^{\log x}=x^{\log 2}$이므로 $2^{\log x}=t$ $(t>1)$로 놓으면 주어진 함수는

$y=t^2-8t=(t-4)^2-16$ ……㉠

㉠은 $t=4$일 때 최솟값 -16을 가지므로

$2^{\log x}=4=2^2$에서

$\log x=2$ $\therefore x=100$

따라서 $a=100$, $b=-16$이므로

$a+b=84$

14 $21=10+990\times a^{-5s}$에서

$11=990\times a^{-5s}$

$a^{5s}=90$

양변에 상용로그를 취하면

$5s\log a=\log 90$

$5s\log a=1+2\log 3$

$\therefore s=\dfrac{1+2\log 3}{5\log a}$

15 ㄱ. 9의 제곱근 중에서 실수인 것의 개수는 2이므로

$N(9, 2)=2$ (참)

ㄴ. $a<0$이면

(i) m이 홀수일 때, $N(a, m)=1$

(ii) m이 짝수일 때, $N(a, m)=0$

(i), (ii)에서

$a<0$이면 $N(a, m)=0$ (거짓)

ㄷ. $a>0$이면

(i) m이 홀수일 때, $m+1$은 짝수이므로

$N(a, m)=1,\ N(a, m+1)=2$

(ii) m이 짝수일 때, $m+1$은 홀수이므로

$N(a, m)=2,\ N(a, m+1)=1$

(i), (ii)에서

$N(a, m)+N(a, m+1)=3$ (참)

따라서 옳은 것은 ㄱ, ㄷ이다.

16 ㄱ. [반례] $a=4$, $b=2$라 하면

$f(g(x))=f(2^x)=\log_4 2^x=\dfrac{1}{2}x<x$ (거짓)

ㄴ. $g(f(x))=g(\log_a x)=b^{\log_a x}=x^{\log_a b}$에서 $b>a>1$이면

$\log_a b>1$이므로 $1<x<2$일 때, $x^{\log_a b}>x$ (거짓)

ㄷ. $g(x)=b^x$에서 $b>1$이므로 $f(k)<k$이면 $b^{f(k)}<b^k$이다.

즉, $g(f(k))<g(k)$ (참)

따라서 옳은 것은 ㄷ뿐이다.

17 $3^a=x$, $3^b=y$, $3^c=z$라 하면

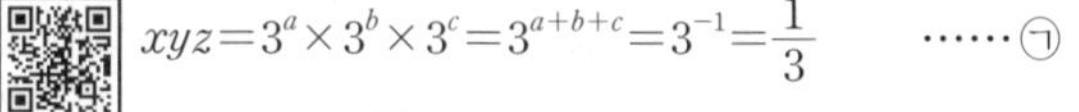

$xyz=3^a\times 3^b\times 3^c=3^{a+b+c}=3^{-1}=\dfrac{1}{3}$ ……㉠

$x+y+z=\dfrac{13}{3}$ ……㉡

또한, $\dfrac{1}{x}+\dfrac{1}{y}+\dfrac{1}{z}=\dfrac{11}{2}$이므로

$$\frac{1}{x}+\frac{1}{y}+\frac{1}{z}=\frac{xy+yz+zx}{xyz}$$
$$=3(xy+yz+zx)=\frac{11}{2}\ (\because ㉠)$$

$\therefore xy+yz+zx=\dfrac{11}{6}$

$$\therefore 9^a+9^b+9^c=x^2+y^2+z^2$$
$$=(x+y+z)^2-2(xy+yz+zx)$$
$$=\frac{169}{9}-\frac{11}{3}$$
$$=\frac{136}{9}$$

[나른 풀이]

$$(3^a+3^b+3^c)^2=9^a+9^b+9^c+2(3^{a+b}+3^{b+c}+3^{c+a})$$
$$=9^a+9^b+9^c+2(3^{-1-c}+3^{-1-a}+3^{-1-b})$$
$$=9^a+9^b+9^c+\frac{2}{3}(3^{-c}+3^{-a}+3^{-b})$$

$$\therefore 9^a+9^b+9^c=(3^a+3^b+3^c)^2-\frac{2}{3}(3^{-a}+3^{-b}+3^{-c})$$
$$=\left(\frac{13}{3}\right)^2-\frac{2}{3}\times\frac{11}{2}=\frac{136}{9}$$

18 점 A의 좌표가 $(a, 2^a)$이므로 점 B의 y좌표는 2^a이다.

점 B의 x좌표는

$2^a=20\times 2^{-x}$

$2^{x+a}=20$, $x+a=\log_2 20$

$\therefore x=\log_2 20-a$

즉, $\overline{AB}=2a-\log_2 20$이므로

$1<\overline{AB}<100$에서 $1<2a-\log_2 20<100$

$1+\log_2 20<2a<100+\log_2 20$

$\dfrac{1}{2}(1+\log_2 20)<a<\dfrac{1}{2}(100+\log_2 20)$

$\log_2 20=4.\times\times\times$이므로

$2.\times\times\times<a<52.\times\times\times$

따라서 구하는 자연수 a의 개수는 3, 4, …, 52의 50이다.

19 $\sin\theta+\cos\theta=\dfrac{1}{\sqrt{2}}$ 의 양변을 제곱하면

$1+2\sin\theta\cos\theta=\dfrac{1}{2}$

$\therefore \sin\theta\cos\theta=-\dfrac{1}{4}$ ……㉮

$$(\sin\theta-\cos\theta)^2=1-2\sin\theta\cos\theta$$
$$=1-2\times\left(-\frac{1}{4}\right)$$
$$=\frac{3}{2}$$ ……㉯

그런데 θ는 제2사분면의 각이므로

$\sin\theta>0$, $\cos\theta<0$에서 $\sin\theta-\cos\theta>0$

$\therefore \sin\theta-\cos\theta=\sqrt{\dfrac{3}{2}}=\dfrac{\sqrt{6}}{2}$ ……㉰

채점 기준	배점
㉮ $\sin\theta\cos\theta=-\dfrac{1}{4}$ 구하기	2점
㉯ $(\sin\theta-\cos\theta)^2=\dfrac{3}{2}$ 구하기	2점
㉰ 답 구하기	2점

20 10년 이상이 된 나무의 높이를 h라 하면

$10\le -5\log_3\dfrac{120-h}{200h}$에서 ……㉮

$-2\ge\log_3\dfrac{120-h}{200h}$

$3^{-2}\ge\dfrac{120-h}{200h}$

$200h\ge 9(120-h)$

$209h\ge 1080$

$\therefore h \geq \dfrac{1080}{209} = 5.16\times\times\times$ ······㉯

따라서 나무의 높이의 최솟값은 5.2 m이다. ······㉰

채점 기준	배점
㉮ 부등식 세우기	2점
㉯ $h \geq 5.16\times\times\times$ 구하기	2점
㉰ 답 구하기	2점

21 $\log_{10}18 - \log_{10}3 = \log_{10}12 - \log_{10}y$에서

$\log_{10}y = \log_{10}12 - \log_{10}18 + \log_{10}3$

$= \log_{10}\dfrac{12\times3}{18} = \log_{10}2$

$\therefore y=2$ ······㉮

$\log_{10}x - \log_{10}18 = \log_{10}20 - \log_{10}12$에서

$\log_{10}x = \log_{10}20 - \log_{10}12 + \log_{10}18$

$= \log_{10}\dfrac{20\times18}{12} = \log_{10}30$

$\therefore x=30$ ······㉯

$\therefore x-y=28$ ······㉰

채점 기준	배점
㉮ $y=2$ 구하기	2점
㉯ $x=30$ 구하기	2점
㉰ 답 구하기	2점

22 $y=4^x+4^{-x}-2(2^x+2^{-x})+10$

$=(2^x+2^{-x})^2-2(2^x+2^{-x})+8$

에서 $2^x+2^{-x}=t$로 놓으면

$y=t^2-2t+8$

$=(t-1)^2+7$ ······㉠ ······㉮

$2^x>0,\ 2^{-x}>0$이므로 산술평균과 기하평균의 관계에 의하여

$t=2^x+2^{-x} \geq 2\sqrt{2^x\times2^{-x}}=2$ ······㉯

(단, 등호는 $2^x=2^{-x}$, 즉 $x=0$일 때 성립한다.)

따라서 $t\geq2$에서 ㉠은 $t=2$일 때 최솟값 8을 가지므로 주어진 함수의 최솟값은 8이다. ······㉰

채점 기준	배점
㉮ 주어진 식을 $y=(t-1)^2+7$로 변형하기	3점
㉯ $t\geq2$ 구하기	3점
㉰ 답 구하기	2점

23

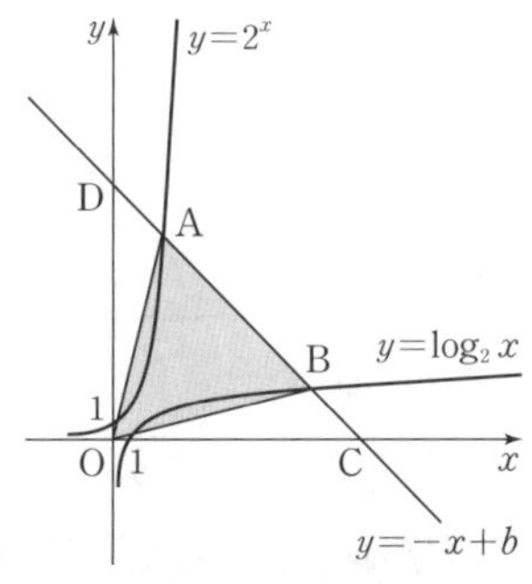

조건 ㈎에서 $\overline{OA}=\overline{OB}$이고 두 점 A, B는 직선 $y=x$에 대하여 대칭이므로 직선 $y=ax+b$의 기울기는 -1이다.

조건 ㈏에서 삼각형 COD의 넓이가 200이므로

$\dfrac{1}{2}b^2=200$

$\therefore a=-1,\ b=20\ (\because b>0)$

$\therefore f(x)=-x+20$ ······㉮

점 B의 좌표를 $(k,\ \log_2 k)$라 하면 점 B는 직선 $y=-x+20$ 위의 점이므로

$\log_2 k=20-k$ $\quad\therefore \mathrm{B}(k,\ 20-k)$ ······㉯

$\overline{OB}=\sqrt{k^2+(20-k)^2}=\sqrt{2k^2-40k+400}=4\sqrt{17}$

$2k^2-40k+400=16\times17$

$k^2-20k+64=0,\ (k-4)(k-16)=0$

$\therefore k=16\ (\because k>10)$ ······㉰

두 점 A, B의 좌표가 A$(4,\ 16)$, B$(16,\ 4)$이므로

삼각형 BOC의 넓이는 $\dfrac{1}{2}\times20\times4=40$

$\therefore$ (삼각형 AOB의 넓이)

$=$(삼각형 COD의 넓이)$-2\times$(삼각형 BOC의 넓이)

$=200-2\times40=120$ ······㉱

채점 기준	배점
㉮ $f(x)=-x+20$ 구하기	2점
㉯ B$(k,\ 20-k)$ 구하기	2점
㉰ $k=16$ 구하기	2점
㉱ 답 구하기	2점

[부록 1회] 삼각함수의 그래프

01 ②	02 ③	03 ⑤	04 ①	05 ④
06 ①	07 (1) 2π (2) 3 (3) -1	08 12		

01 $\sin\left(\pi+\frac{\pi}{6}\right)+\cos\left(\frac{\pi}{2}-\frac{\pi}{4}\right)$

$=-\sin\frac{\pi}{6}+\sin\frac{\pi}{4}$

$=-\frac{1}{2}+\frac{\sqrt{2}}{2}=\frac{-1+\sqrt{2}}{2}$

02 $\frac{\sin\left(\frac{\pi}{2}+\theta\right)}{\sin\left(\frac{\pi}{2}-\theta\right)\cos^2\theta}+\frac{\cos\left(\frac{3}{2}\pi+\theta\right)\tan^2(\pi-\theta)}{\sin(\pi+\theta)}$

$=\frac{\cos\theta}{\cos\theta\cos^2\theta}+\frac{\sin\theta\tan^2\theta}{-\sin\theta}$

$=\frac{1}{\cos^2\theta}-\tan^2\theta$

$=\frac{1-\sin^2\theta}{\cos^2\theta}$

$=\frac{\cos^2\theta}{\cos^2\theta}=1$

> **핵심 포인트**
>
> (1) $\sin\left(\frac{\pi}{2}+\theta\right)=\cos\theta$, $\sin\left(\frac{\pi}{2}-\theta\right)=\cos\theta$
>
> (2) $\cos\left(\frac{\pi}{2}+\theta\right)=-\sin\theta$, $\cos\left(\frac{\pi}{2}-\theta\right)=\sin\theta$

03 $f(x)=2\sin\left(2x+\frac{\pi}{3}\right)+1=2\sin 2\left(x+\frac{\pi}{6}\right)+1$

① $f\left(\frac{\pi}{3}\right)=2\sin\pi+1=0+1=1$ (참)

② $f\left(-\frac{\pi}{6}\right)=2\sin 0+1=0+1=1$

$f\left(\frac{5}{6}\pi\right)=2\sin 2\pi+1=0+1=1$

$\therefore f\left(-\frac{\pi}{6}\right)=f\left(\frac{5}{6}\pi\right)$ (참)

③ 주기는 $\frac{2\pi}{2}=\pi$이다. (참)

④ 최댓값은 $2+1=3$, 최솟값은 $-2+1=-1$이다. (참)

⑤ $y=f(x)$의 그래프는 $y=2\sin 2x+1$의 그래프를 x축의 방향으로 $-\frac{\pi}{6}$만큼 평행이동한 것이다. (거짓)

따라서 옳지 않은 것은 ⑤이다.

04 $y=2\cos x$의 최댓값은 2이므로 $a=2$

또 $y=2\cos x$의 주기는 2π이고 b는 주기의 $\frac{1}{4}$이므로 $\frac{\pi}{2}$, c는 주기의 $\frac{3}{4}$이므로 $\frac{3}{2}\pi$이다.

$\therefore \frac{b+c}{a}=\frac{\frac{\pi}{2}+\frac{3}{2}\pi}{2}=\pi$

05 $y=\sin^2 x+\cos x+a-2$

$=(1-\cos^2 x)+\cos x+a-2$

$=-\cos^2 x+\cos x+a-1$

$\cos x=t\,(-1\le t\le 1)$라 하면

$y=-t^2+t+a-1$

$=-\left(t-\frac{1}{2}\right)^2+a-\frac{3}{4}$

그림에서 $t=-1$일 때 최소이고

최솟값이 $-\frac{1}{4}$이므로

$a-3=-\frac{1}{4}$

$\therefore a=\frac{11}{4}$

따라서 최댓값은 $t=\frac{1}{2}$일 때

$a-\frac{3}{4}=\frac{11}{4}-\frac{3}{4}=2$

> **핵심 포인트**
>
> (1) $y=a\sin b(x-m)+n$, $y=a\cos b(x-m)+n$의 그래프에서
> 최댓값: $|a|+n$, 최솟값: $-|a|+n$, 주기: $\frac{2\pi}{|b|}$
>
> (2) $y=a\tan b(x-m)+n$의 그래프에서
> 최댓값과 최솟값은 없다, 주기: $\frac{\pi}{|b|}$

06 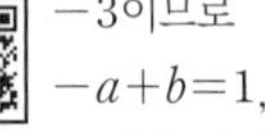

$a<0$이고 주어진 함수의 그래프에서 최댓값이 1, 최솟값이 -3이므로

$-a+b=1$, $a+b=-3$

두 식을 연립하여 풀면

$a=-2$, $b=-1$

즉, $f(x)=-2\cos\left(\frac{3}{2}\pi x-\theta\right)-1$이고 그래프가 원점을 지나므로

$-2\cos(-\theta)-1=0$, $-2\cos\theta=1$

$\therefore \cos\theta=-\frac{1}{2}$

한편, $\pi<\theta<\frac{3}{2}\pi$에서 θ는 제3사분면의 각이므로 $\sin\theta<0$

$\therefore \sin\theta=-\sqrt{1-\cos^2\theta}=-\sqrt{1-\left(-\frac{1}{2}\right)^2}$

$=-\sqrt{\frac{3}{4}}=-\frac{\sqrt{3}}{2}$

07 (1) $y=2\sin\left(x+\frac{\pi}{4}\right)+1$의 주기는

$\frac{2\pi}{|1|}=2\pi$ ······ ㉮

(2) $y=2\sin\left(x+\frac{\pi}{4}\right)+1$의 최댓값은

$2+1=3$ ······ ㉯

(3) $y=2\sin\left(x+\frac{\pi}{4}\right)+1$의 최솟값은

$-2+1=-1$ ······ ㉰

채점 기준	배점
㉮ 주기 구하기	2점
㉯ 최댓값 구하기	2점
㉰ 최솟값 구하기	2점

08 방정식 $3\cos\pi x=\frac{1}{2}|x-1|$의 실근은 함수 $y=3\cos\pi x$의

그래프와 직선 $y=\frac{1}{2}|x-1|$의 교점의 x좌표와 같다.

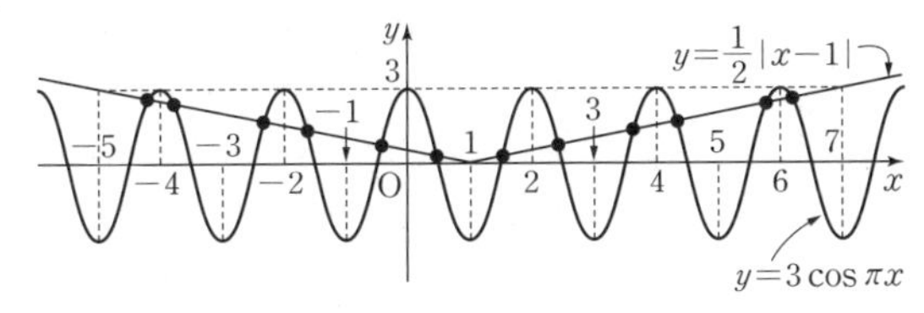

······ ㉮

그림에서 교점의 개수가 12이므로 주어진 방정식의 실근의 개수는 12이다. ······ ㉯

채점 기준	배점
㉮ 문제의 뜻에 따라 그래프 그리기	4점
㉯ 답 구하기	4점

[부록 2회] 삼각함수의 그래프

01 ②	02 ③	03 ④	04 ②	05 ②
06 ⑤	07 9	08 −16		

01 $\cos\left(\frac{\pi}{2}-\theta\right)+\sin(\pi+\theta)+\cos(\pi-\theta)$

$=\sin\theta-\sin\theta-\cos\theta$

$=-\cos\theta$

02 $\sin\left(-\frac{\pi}{6}\right)+\cos\frac{8}{3}\pi+\tan\frac{5}{4}\pi$

$=-\sin\frac{\pi}{6}+\cos\left(2\pi+\frac{2}{3}\pi\right)+\tan\left(\pi+\frac{\pi}{4}\right)$

$=-\frac{1}{2}+\cos\left(\pi-\frac{\pi}{3}\right)+\tan\frac{\pi}{4}$

$=-\frac{1}{2}-\cos\frac{\pi}{3}+1$

$=-\frac{1}{2}-\frac{1}{2}+1$

$=0$

03 $y=\sin x-|\sin x|=\begin{cases} 0 & (\sin x\geq 0) \\ 2\sin x & (\sin x<0)\end{cases}$ 이므로

함수 $y=\sin x-|\sin x|$의 그래프는 그림과 같다.

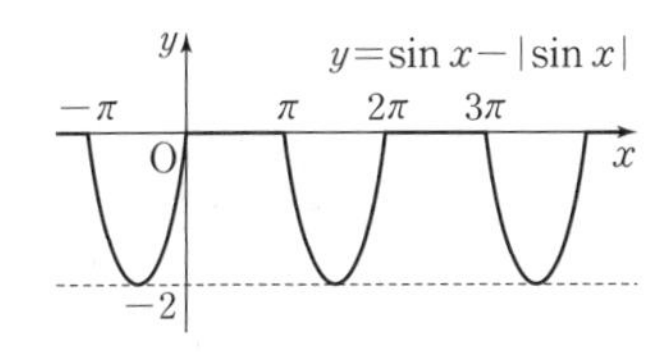

① 주기는 2π이다. (참)

② 최댓값은 0이다. (참)

③ 최솟값은 -2이다. (참)

④ 원점에 대하여 대칭이 아니다. (거짓)

⑤ 직선 $x=\frac{\pi}{2}$에 대하여 대칭이다. (참)

따라서 옳지 않은 것은 ④이다.

> **핵심 포인트**
>
> (1) $y=|f(x)|$의 그래프
> ➡ $y=f(x)$의 그래프에서 $y\geq 0$인 부분은 그대로 두고, $y<0$인 부분은 x축에 대하여 대칭이동한다.
>
> (2) $y=f(|x|)$의 그래프
> ➡ $y=f(x)$의 그래프에서 $x\geq 0$인 부분만 남기고, $x<0$인 부분은 $x\geq 0$인 부분을 y축에 대하여 대칭이동한다.

04 $a>0$이고 주어진 함수의 그래프에서

주기가 $2\left(\frac{3}{4}\pi-\frac{\pi}{4}\right)=\pi$이므로

$\frac{2\pi}{a}=\pi$에서 $a=2$

즉, $y=\sin(2x+b)$이고 그래프가 점 $(0, -1)$을 지나므로

$-1=\sin b$

$\therefore b=-\frac{\pi}{2}$ ($\because -\pi<b<\pi$)

$\therefore ab=2\times\left(-\frac{\pi}{2}\right)=-\pi$

05 $y=-\sin^2 x+2\cos x+1$

$=-(1-\cos^2 x)+2\cos x+1$

$=\cos^2 x+2\cos x$

이때, $\cos x=t$ $(-1\leq t\leq 1)$로 놓으면

$y=t^2+2t=(t+1)^2-1$

이므로 그래프는 그림과 같다.

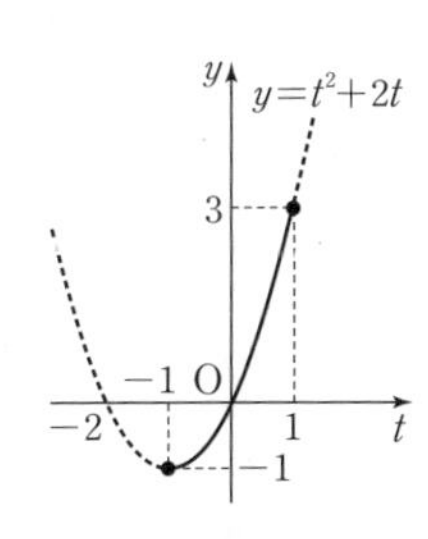

그림에서

$t=1$일 때, 최댓값 $M=3$,

$t=-1$일 때, 최솟값 $m=-1$

$\therefore M-m=3-(-1)=4$

> **핵심 포인트**
>
> 이차식의 꼴로 주어진 삼각함수를 t로 치환하고 범위를 구한 후 그래프를 이용하여 최댓값과 최솟값을 구한다.

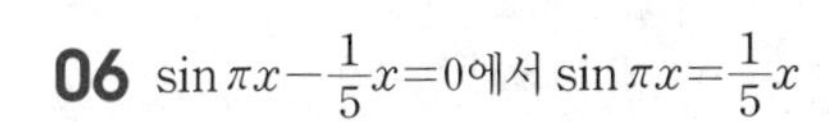

06 $\sin\pi x-\frac{1}{5}x=0$에서 $\sin\pi x=\frac{1}{5}x$

방정식 $\sin\pi x=\frac{1}{5}x$의 실근은 함수 $y=\sin\pi x$의 그래프와

직선 $y=\frac{1}{5}x$의 교점의 x좌표와 같다.

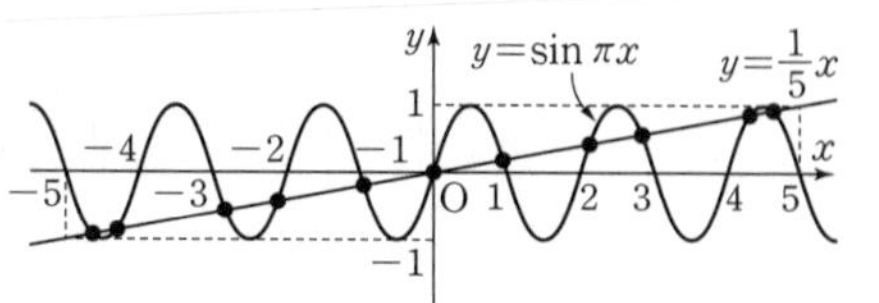

그림에서 교점의 개수가 11이므로 주어진 방정식의 실근의 개수는 11이다.

07 최댓값이 5이므로 $a+c=5$ ($\because a>0$) ...... ㉠ ......㉮

주기가 $\frac{\pi}{2}$이므로 $\frac{2\pi}{|b|}=\frac{\pi}{2}$

$\therefore b=4$ ($\because b>0$) ......㉯

또 $f\left(\frac{\pi}{12}\right)=4$이므로 $a\cos\left(4\times\frac{\pi}{12}\right)+c=4$

$\frac{1}{2}a+c=4$ ...... ㉡ ......㉰

㉠, ㉡을 연립하여 풀면

$a=2,\ c=3$ ......㉱

$\therefore a+b+c=2+4+3=9$ ......㉲

채점 기준	배점
㉮ $a+c=5$ 구하기	1점
㉯ $b=4$ 구하기	1점
㉰ $\frac{1}{2}a+c=4$ 구하기	1점
㉱ $a=2,\ c=3$ 구하기	1점
㉲ 답 구하기	2점

08 $f(x)=a\sin x-b,\ g(x)=-2x+1$에서

$(g\circ f)(x)=g(f(x))$
$=-2f(x)+1$
$=-2(a\sin x-b)+1$
$=-2a\sin x+2b+1$ ......㉮

이때, $a>0$에서 $-2a<0$이고

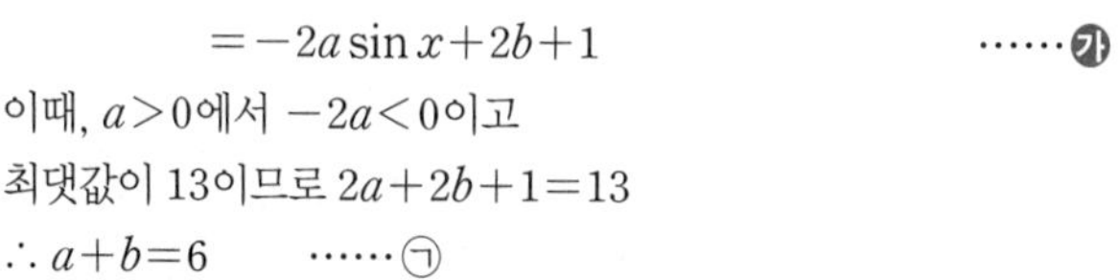

최댓값이 13이므로 $2a+2b+1=13$

$\therefore a+b=6$ ......㉠

최솟값이 -19이므로 $-2a+2b+1=-19$

$\therefore a-b=10$ ......㉡

㉠, ㉡을 연립하여 풀면

$a=8,\ b=-2$ ......㉯

$\therefore ab=-16$ ......㉰

채점 기준	배점
㉮ $(g\circ f)(x)=-2a\sin x+2b+1$ 구하기	3점
㉯ $a=8,\ b=-2$ 구하기	3점
㉰ 답 구하기	2점

[부록 3회] 삼각함수의 그래프

01 ④ **02** ⑤ **03** ④ **04** ⑤ **05** ①
06 ② **07** $0\le x<\frac{\pi}{12}$ 또는 $\frac{\pi}{4}<x\le\pi$ **08** $\frac{7}{6}\pi$

01 $2\sin x-1=0$에서 $\sin x=\frac{1}{2}$

$0\le x\le 2\pi$에서 함수 $y=\sin x$의 그래프와 직선 $y=\frac{1}{2}$은 그림과 같다.

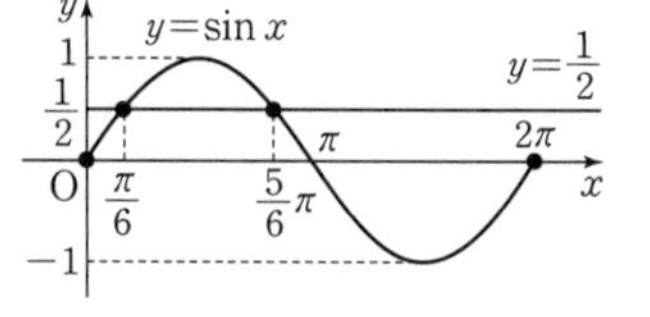

따라서 교점의 x좌표를 구하면

$x=\frac{\pi}{6}$ 또는 $x=\frac{5}{6}\pi$

02 $2\sin^2 x=1-\cos x$, 즉 $2\sin^2 x+\cos x-1=0$에서

$2(1-\cos^2 x)+\cos x-1=0$

$2\cos^2 x-\cos x-1=0$

$(2\cos x+1)(\cos x-1)=0$

$\therefore \cos x=-\frac{1}{2}$ 또는 $\cos x=1$

$0\le x\le 2\pi$에서 함수 $y=\cos x$의 그래프와 두 직선 $y=-\frac{1}{2}$, $y=1$은 그림과 같다.

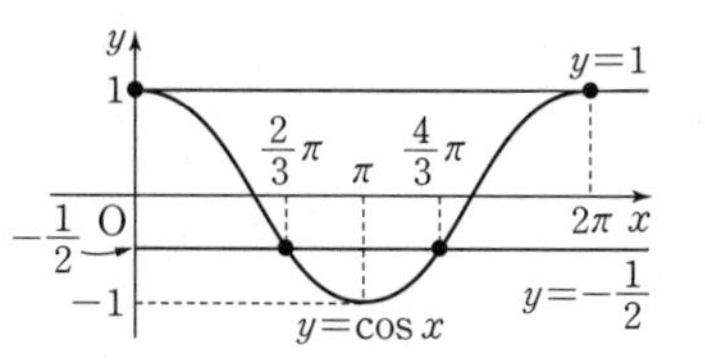

교점의 x좌표를 구하면

$\cos x=-\frac{1}{2}$에서 $x=\frac{2}{3}\pi$ 또는 $x=\frac{4}{3}\pi$

$\cos x=1$에서 $x=0$ 또는 $x=2\pi$

따라서 모든 근의 합은

$\frac{2}{3}\pi+\frac{4}{3}\pi+0+2\pi=4\pi$

03 $2\sin^2 x-\cos x-1<0$에서

$2(1-\cos^2 x)-\cos x-1<0$

$2\cos^2 x+\cos x-1>0$

$(2\cos x-1)(\cos x+1)>0$

$0\le x<2\pi$에서 $\cos x+1\ge 0$이므로

$2\cos x-1>0$

$\therefore \cos x>\frac{1}{2}$

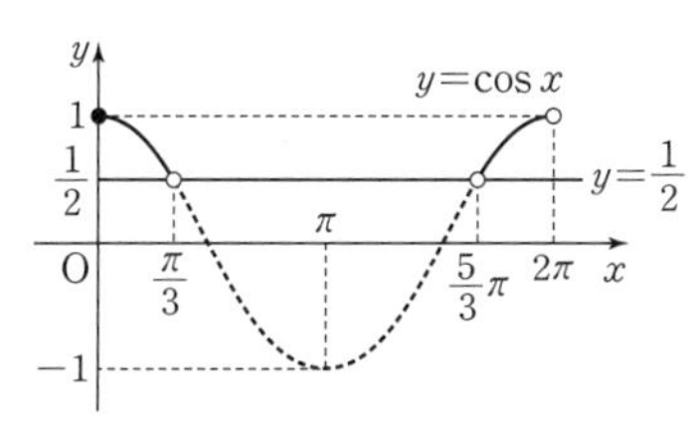

그림에서 주어진 부등식의 해는

$0\le x<\frac{\pi}{3}$ 또는 $\frac{5}{3}\pi<x<2\pi$

따라서 $\alpha=\frac{\pi}{3}$, $\beta=\frac{5}{3}\pi$이므로

$\beta-\alpha=\frac{5}{3}\pi-\frac{\pi}{3}=\frac{4}{3}\pi$

04 모든 실수 x에 대하여 부등식 $x^2+(2\cos\theta+1)x+1>0$이 성립하므로 방정식 $x^2+(2\cos\theta+1)x+1=0$의 판별식을 D라 하면 $D<0$이어야 한다.

$D=(2\cos\theta+1)^2-4<0$

$4\cos^2\theta+4\cos\theta-3<0$

$(2\cos\theta-1)(2\cos\theta+3)<0$

$\therefore -1\le\cos\theta<\frac{1}{2}$ ($\because -1\le\cos\theta\le1$) ……㉠

이 범위에서 함수 $y=\cos\theta$의 그래프와 직선 $y=\frac{1}{2}$은 그림과 같다.

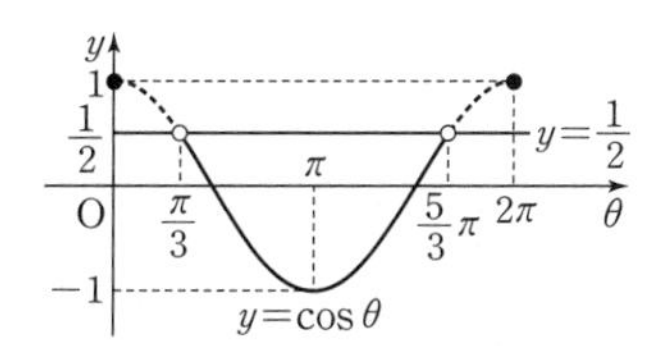

교점의 θ좌표를 구하면

$\theta=\frac{\pi}{3}$ 또는 $\theta=\frac{5}{3}\pi$

즉, $0\le\theta\le2\pi$에서 부등식 ㉠을 만족시키는 θ의 값의 범위는

$\frac{\pi}{3}<\theta<\frac{5}{3}\pi$

$\therefore \alpha+\beta=\frac{\pi}{3}+\frac{5}{3}\pi=2\pi$

05 $2\cos^2x-\cos x-1=k$에서

$\cos x=t\ (-1<t<1)$로 놓으면

$2t^2-t-1=k$는 $-1<t<1$에서

서로 다른 2개의 실근을 가져야 한다.

$y=2t^2-t-1$

$=2\left(t-\frac{1}{4}\right)^2-\frac{9}{8}$

의 그래프는 $-1<t<1$의 범위에서 그림과 같으므로 함수 $y=2t^2-t-1$의 그래프와 직선 $y=k$가 서로 다른 두 점에서 만나기 위한 k의 값의 범위는

$-\frac{9}{8}<k<0$

$\therefore \alpha=-\frac{9}{8}$, $\beta=0$

$\therefore \beta-\alpha=\frac{9}{8}$

> **핵심 포인트**
> 삼각방정식 $f(x)=k$의 서로 다른 실근의 개수는 함수 $y=f(x)$의 그래프와 직선 $y=k$의 그래프의 서로 다른 교점의 개수와 같다.

06 $\sin^2\left(x+\frac{\pi}{2}\right)+2\sin x+k\le0$에서

$\cos^2x+2\sin x+k\le0$

$(1-\sin^2x)+2\sin x+k\le0$

$\therefore \sin^2x-2\sin x-k-1\ge0$

$\sin x=t\ (-1\le t\le1)$로 놓으면

$t^2-2t-k-1\ge0$

이 부등식이 모든 실수 x에 대하여 성립하려면 $-1\le t\le1$에서 함수 $y=t^2-2t-k-1$의 최솟값이 0보다 크거나 같아야 한다.

즉, $y=(t-1)^2-k-2$에서 $t=1$일 때 최소이므로

$-k-2\ge0$

$\therefore k\le-2$

> **핵심 포인트**
> 두 종류 이상의 삼각함수를 포함한 부등식은 $\sin^2x+\cos^2x=1$을 이용하여 한 종류의 삼각함수로 고친 후 푼다.

07 $2\cos\left(2x-\frac{\pi}{3}\right)<\sqrt{3}$에서 $2x-\frac{\pi}{3}=t$로 놓으면

$2\cos t<\sqrt{3}$, 즉 $\cos t<\frac{\sqrt{3}}{2}$ ……㉠ ……㉮

한편, $0\le x\le\pi$에서 $-\frac{\pi}{3}\le t\le\frac{5}{3}\pi$

이 범위에서 함수 $y=\cos t$의 그래프와 직선 $y=\frac{\sqrt{3}}{2}$은 그림과 같다.

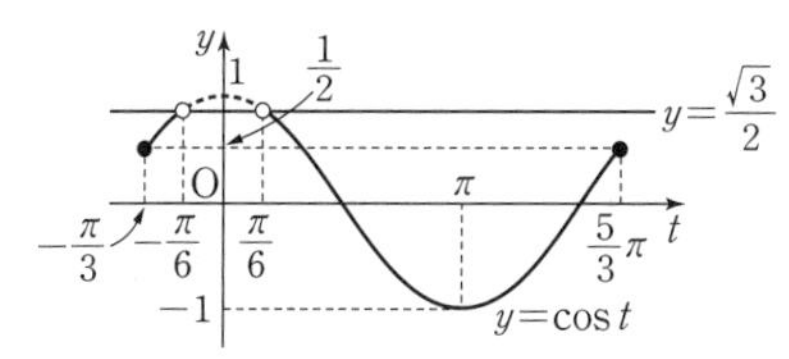

교점의 t좌표를 구하면 $t=-\frac{\pi}{6}$ 또는 $t=\frac{\pi}{6}$

즉, 부등식 ㉠의 해는 $-\frac{\pi}{3}\le t<-\frac{\pi}{6}$ 또는 $\frac{\pi}{6}<t\le\frac{5}{3}\pi$ ……㉯

$\therefore 0\le x<\frac{\pi}{12}$ 또는 $\frac{\pi}{4}<x\le\pi$ ……㉰

채점 기준	배점
㉮ $\cos t<\frac{\sqrt{3}}{2}$ 구하기	2점
㉯ $-\frac{\pi}{3}\le t<-\frac{\pi}{6}$ 또는 $\frac{\pi}{6}<t\le\frac{5}{3}\pi$ 구하기	2점
㉰ 답 구하기	2점

08 $2\cos^2\left(x-\frac{\pi}{3}\right)-5\cos\left(x+\frac{\pi}{6}\right)\ge 4$에서

$x-\frac{\pi}{3}=t$로 놓으면 $x=t+\frac{\pi}{3}$이므로

$x+\frac{\pi}{6}=t+\frac{\pi}{3}+\frac{\pi}{6}=t+\frac{\pi}{2}$

즉, 주어진 부등식은

$2\cos^2 t-5\cos\left(t+\frac{\pi}{2}\right)\ge 4$ ······㉮

$2(1-\sin^2 t)+5\sin t\ge 4$

$2\sin^2 t-5\sin t+2\le 0$

$(2\sin t-1)(\sin t-2)\le 0$

$\therefore \frac{1}{2}\le\sin t\le 1$ ($\because -1\le\sin t\le 1$) ······㉠

이때, $0\le x\le 2\pi$에서 $-\frac{\pi}{3}\le t\le\frac{5}{3}\pi$

이 범위에서 $y=\sin t$의 그래프와 두 직선 $y=\frac{1}{2}$, $y=1$은 그림과 같다.

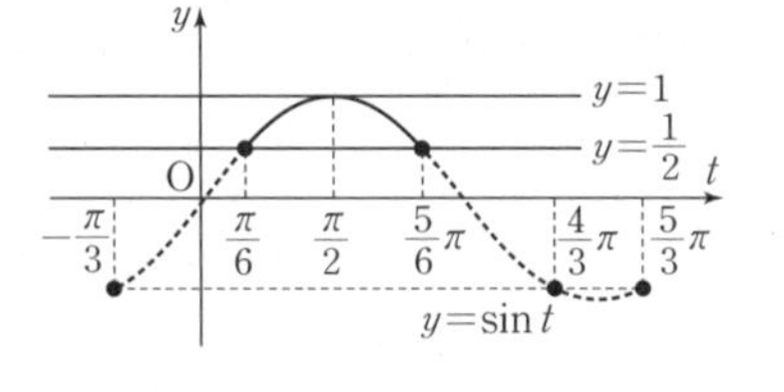

교점의 t좌표를 구하면

$t=\frac{\pi}{6}$ 또는 $t=\frac{5}{6}\pi$

즉, 부등식 ㉠의 해는 $\frac{\pi}{6}\le t\le\frac{5}{6}\pi$ ······㉯

$\therefore \frac{\pi}{2}\le x\le\frac{7}{6}\pi$

따라서 x의 최댓값은 $\frac{7}{6}\pi$이다. ······㉰

채점 기준	배점
㉮ $2\cos^2 t-5\cos\left(t+\frac{\pi}{2}\right)\ge 4$ 구하기	3점
㉯ $\frac{\pi}{6}\le t\le\frac{5}{6}\pi$ 구하기	3점
㉰ 답 구하기	2점

[부록 4회] 삼각함수의 활용

01 ② **02** ④ **03** ③ **04** ⑤ **05** ⑤
06 ② **07** 60 **08** $-\frac{1}{3}$

01 $C=180°-(40°+80°)=60°$

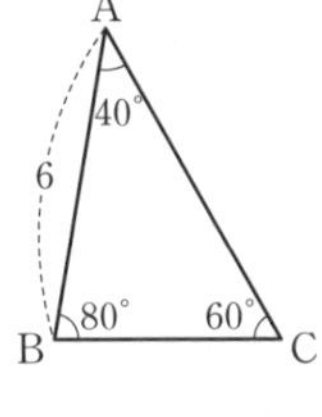

사인법칙에 의하여

$2R=\frac{\overline{AB}}{\sin C}=\frac{6}{\frac{\sqrt{3}}{2}}=4\sqrt{3}$

따라서 $R=2\sqrt{3}$이므로

$R^2=12$

02 $\overline{BC}=a$라 하면 코사인법칙에 의하여

$c^2=a^2+b^2-2ab\cos C$이므로

$(2\sqrt{5})^2=a^2+(2\sqrt{2})^2-2a\times 2\sqrt{2}\times\cos 45°$

$20=a^2+8-4\sqrt{2}a\times\frac{\sqrt{2}}{2}$

$a^2-4a-12=0$

$(a-6)(a+2)=0$

$a>0$이므로 $a=6$

$\therefore \overline{BC}=6$

03 $\angle C=180°-(60°+75°)=45°$

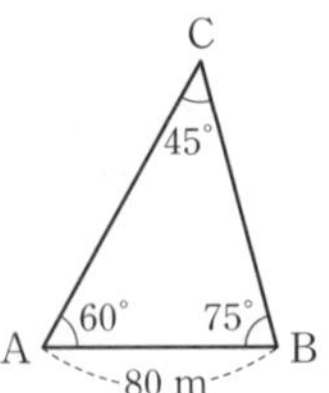

삼각형 ABC에서 사인법칙에 의하여

$\frac{\overline{AB}}{\sin C}=\frac{\overline{BC}}{\sin A}$

$\therefore \overline{BC}=\frac{\overline{AB}\sin A}{\sin C}$

$=\frac{80\sin 60°}{\sin 45°}$

$=\frac{80\times\frac{\sqrt{3}}{2}}{\frac{\sqrt{2}}{2}}$

$=40\sqrt{6}$ (m)

04 $a+b=5k$, $b+c=7k$, $c+a=6k$ $(k>0)$로 놓고

식의 각 변을 더하면

$2(a+b+c)=18k$

$\therefore a+b+c=9k$

$\therefore a=2k$, $b=3k$, $c=4k$

사인법칙에 의하여

$\sin A:\sin B:\sin C=a:b:c=2k:3k:4k=2:3:4$

따라서 $\sin A=2l$, $\sin B=3l$, $\sin C=4l$ $(l>0)$로 놓으면

$\frac{\sin B\sin C}{\sin^2 A}=\frac{3l\times 4l}{(2l)^2}=\frac{12l^2}{4l^2}=3$

05 삼각형 ABC에서 코사인법칙에 의하여

$\cos A=\frac{b^2+c^2-a^2}{2bc}$, $\cos B=\frac{c^2+a^2-b^2}{2ca}$

이것을 $b\cos A-a\cos B=c$에 대입하면

$$b\times\frac{b^2+c^2-a^2}{2bc}-a\times\frac{c^2+a^2-b^2}{2ca}=c$$

$b^2-a^2=c^2 \qquad \therefore b^2=a^2+c^2$

따라서 삼각형 ABC는 $\angle B=90^\circ$인 직각삼각형이다.

핵심 포인트

삼각형의 모양을 결정하는 문제는 대부분 사인법칙과 코사인법칙을 이용하여 변의 길이 사이의 관계를 찾아서 결정한다.

06 삼각형 ABC의 외접원의 반지름의 길이를 R라 하면 사인법칙에 의하여

$\frac{a}{\sin A}=\frac{b}{\sin B}=\frac{c}{\sin C}=2R$이므로

$\sin A=\frac{a}{2R},\ \sin B=\frac{b}{2R},\ \sin C=\frac{c}{2R}$

$6\sin A=2\sqrt{3}\sin B=3\sin C$에서

$$\frac{6a}{2R}=\frac{2\sqrt{3}b}{2R}=\frac{3c}{2R}$$

$6a=2\sqrt{3}b=3c$

위의 식의 양변을 6으로 나누어 $a=\frac{b}{\sqrt{3}}=\frac{c}{2}=k$ (k는 상수)라 하면

$a=k,\ b=\sqrt{3}k,\ c=2k$

$$\therefore \cos A=\frac{b^2+c^2-a^2}{2bc}$$
$$=\frac{(\sqrt{3}k)^2+(2k)^2-k^2}{2\times\sqrt{3}k\times 2k}$$
$$=\frac{(3+4-1)k^2}{4\sqrt{3}k^2}$$
$$=\frac{6}{4\sqrt{3}}$$
$$=\frac{\sqrt{3}}{2}$$

07 $\overline{AB}=c,\ \overline{BC}=a,\ \overline{AC}=b$라 하고

삼각형 ABC에 사인법칙과 코사인법칙을 적용해보면

$\sin C=\sin A\cos B$에서

$$\frac{c}{2R}=\frac{a}{2R}\times\frac{a^2+c^2-b^2}{2ac}$$

$2c^2=a^2+c^2-b^2$

$\therefore b^2+c^2=a^2$ ······ ㉮

따라서 삼각형 ABC는 a가 빗변인 직각삼각형이므로 $\angle A=90^\circ$이고, $\overline{BC}$는 원의 지름이 된다.

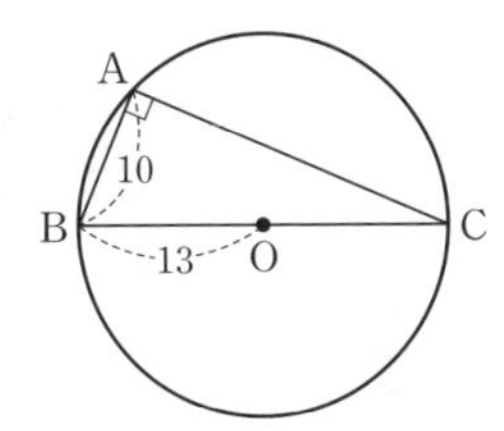

$\overline{AB}=10$이라 하면

$\overline{AC}=\sqrt{26^2-10^2}=24$

따라서 삼각형 ABC의 둘레의 길이는

$10+26+24=60$ ······ ㉯

채점 기준	배점
㉮ $b^2+c^2=a^2$ 구하기	3점
㉯ 답 구하기	3점

08 $\overline{BP}=\overline{DP}=x$로 놓으면 코사인법칙에서

$\overline{BD}^2=\overline{BP}^2+\overline{DP}^2-2\times\overline{BP}\times\overline{DP}\times\cos\theta$

$\overline{BD}=\sqrt{2}$이므로

$2=x^2+x^2-2x^2\cos\theta$ ······ ㉮

$2x^2(1-\cos\theta)=2,\ 1-\cos\theta=\frac{1}{x^2}$

$\therefore \cos\theta=1-\frac{1}{x^2}$

$\frac{\sqrt{3}}{2}\le\overline{BP}\le 1$, 즉 $\frac{\sqrt{3}}{2}\le x\le 1$이므로

$\frac{3}{4}\le x^2\le 1,\ 1\le\frac{1}{x^2}\le\frac{4}{3}$ ······ ㉯

$\therefore -\frac{1}{3}\le\cos\theta\le 0$

따라서 $\cos\theta$의 최솟값은 $-\frac{1}{3}$이다. ······ ㉰

채점 기준	배점
㉮ 코사인법칙 이용하여 $2=x^2+x^2-2x^2\cos\theta$ 구하기	3점
㉯ $1\le\frac{1}{x^2}\le\frac{4}{3}$ 구하기	3점
㉰ 답 구하기	2점

핵심 포인트

삼각형 ABC에서의 코사인법칙의 활용

(1) 두 변의 길이와 그 끼인각의 크기가 주어질 때

$b,\ c,\ A$가 주어지면 코사인법칙

$$a^2=b^2+c^2-2bc\cos A$$

를 이용하여 a의 값을 구할 수 있다.

(2) 세 변의 길이가 주어질 때

$a,\ b,\ c$가 주어지면 코사인법칙의 변형

$$\cos A=\frac{b^2+c^2-a^2}{2bc}$$

을 이용하여 A의 크기를 구할 수 있다.

memo

한눈에 보는 정답 [고2 수학 I]

■ 2학년 1학기 중간고사

01회

01 ③ 02 ② 03 ④ 04 ④ 05 ② 06 ④ 07 ③ 08 ④ 09 ⑤ 10 ③ 11 ③ 12 ④ 13 ③ 14 ④
15 ④ 16 ⑤ 17 ② 18 ③ 19 $8\sqrt{5}$ 20 34 21 5 22 $\frac{1}{2}$ 23 $k \le 3$

02회

01 ② 02 ② 03 ③ 04 ① 05 ④ 06 ⑤ 07 ④ 08 ③ 09 ④ 10 ③ 11 ② 12 ⑤ 13 ④ 14 ④
15 ④ 16 ① 17 ④ 18 ③ 19 $\frac{3}{2}$ 20 $\frac{\sqrt{3}}{2}$ 21 $\frac{1}{4}$ 22 204 23 $\frac{3}{2}$

03회

01 ④ 02 ④ 03 ③ 04 ⑤ 05 ③ 06 ② 07 ② 08 ③ 09 ⑤ 10 ④ 11 ④ 12 ② 13 ③ 14 ⑤
15 ② 16 ② 17 ③ 18 ④ 19 11 20 $\frac{9}{20}$ 21 13시간 22 13 23 (1) $(2, -3)$ (2) 32

04회

01 ⑤ 02 ③ 03 ④ 04 ① 05 ④ 06 ② 07 ③ 08 ③ 09 ③ 10 ② 11 ③ 12 ④ 13 ⑤ 14 ②
15 ② 16 ① 17 ⑤ 18 ② 19 15 20 16 21 80 22 3 23 $\frac{75}{16}\log_3 4$

05회

01 ② 02 ⑤ 03 ③ 04 ⑤ 05 ④ 06 ④ 07 ③ 08 ② 09 ④ 10 ⑤ 11 ② 12 ④ 13 ⑤ 14 ①
15 ③ 16 ④ 17 ③ 18 ② 19 (1) 2π (2) 3π (3) $\frac{2\sqrt{2}}{3}\pi$ 20 12 21 243 22 12 23 5

06회

01 ③ 02 ① 03 ④ 04 ③ 05 ② 06 ⑤ 07 ③ 08 ④ 09 ③ 10 ⑤ 11 ② 12 ① 13 ③ 14 ⑤
15 ① 16 ④ 17 ② 18 ⑤ 19 16 20 8 21 $\log_{10} 1.1$ 22 11 23 3

07회

01 ② 02 ④ 03 ③ 04 ② 05 ④ 06 ① 07 ③ 08 ⑤ 09 ② 10 ④ 11 ③ 12 ④ 13 ① 14 ②
15 ① 16 ⑤ 17 ③ 18 ① 19 0.65 20 3 21 $\frac{\sqrt{17}}{2}$ 22 $0 < x < a$ 23 $\frac{3}{2}$

08회

01 ② **02** ② **03** ④ **04** ⑤ **05** ③ **06** ⑤ **07** ① **08** ③ **09** ① **10** ① **11** ④ **12** ③ **13** ④ **14** ④
15 ⑤ **16** ③ **17** ① **18** ② **19** $1<x<2$ 또는 $2<x<3$ **20** 26 **21** 4 **22** 250년 후 **23** 19

09회

01 ④ **02** ⑤ **03** ④ **04** ④ **05** ④ **06** ② **07** ① **08** ③ **09** ③ **10** ⑤ **11** ⑤ **12** ⑤ **13** ③ **14** ③
15 ② **16** ② **17** ① **18** ① **19** $S=8\pi-16$, $\theta=\pi-2$ **20** 8 **21** $-\frac{1}{2}$ **22** $2\sqrt{2}$ **23** $\frac{3\sqrt{2}}{2}$

10회

01 ③ **02** ④ **03** ⑤ **04** ② **05** ④ **06** ④ **07** ② **08** ⑤ **09** ① **10** ③ **11** ⑤ **12** ① **13** ③ **14** ①
15 ③ **16** ③ **17** ② **18** ② **19** $\frac{\sqrt{6}}{2}$ **20** 5.2 m **21** 28 **22** 8 **23** 120

■ 부록

[1회] 삼각함수의 그래프

01 ② **02** ③ **03** ⑤ **04** ① **05** ④ **06** ① **07** (1) 2π (2) 3 (3) -1 **08** 12

[2회] 삼각함수의 그래프

01 ② **02** ③ **03** ④ **04** ② **05** ② **06** ⑤ **07** 9 **08** -16

[3회] 삼각함수의 그래프

01 ④ **02** ⑤ **03** ④ **04** ⑤ **05** ① **06** ② **07** $0\le x<\frac{\pi}{12}$ 또는 $\frac{\pi}{4}<x\le\pi$ **08** $\frac{7}{6}\pi$

[4회] 삼각함수의 활용

01 ② **02** ④ **03** ③ **04** ⑤ **05** ⑤ **06** ② **07** 60 **08** $-\frac{1}{3}$